D0985731

Les Éditions du Boréal
4447, rue Saint-Denis
Montréal (Québec) H2J 2L2
www.editionsboreal.qc.ca

L'HOMME GRIS

ŒUVRES DE MARIE LABERGE

ROMANS

Aux Éditions du Boréal

Juillet, 1989 (collection « Boréal compact », 1993) ; Paris, Anne Carrière, 2005

Quelques Adieux, 1992 (collection « Boréal compact », 1997) ; Paris, Anne Carrière, 2006

Le Poids des ombres, 1994 (collection « Boréal compact », 1999)

Annabelle, 1996 (collection « Boréal compact », 2001)

La Cérémonie des anges, 1998 (collection « Boréal compact », 2004)

Gabrielle. Le Goût du bonheur I, 2000 ; Paris, Anne Carrière, 2003

Adélaïde. Le Goût du bonheur II, 2001 ; Paris, Anne Carrière, 2003

Florent. Le Goût du bonheur III, 2001 ; Paris, Anne Carrière, 2003

THÉÂTRE

C'était avant la guerre à l'Anse-à-Gilles, VLB éditeur, 1981 ; Les Éditions du Boréal, 1995

Ils étaient venus pour…, VLB éditeur, 1981 ; Les Éditions du Boréal, 1997

Avec l'hiver qui s'en vient, VLB éditeur, 1982

Jocelyne Trudelle trouvée morte dans ses larmes, VLB éditeur, 1983 ; Les Éditions du Boréal, 1992

Deux Tangos pour toute une vie, VLB éditeur, 1985 ; Les Éditions du Boréal, 1993

L'Homme gris suivi de *Éva et Évelyne,* VLB éditeur, 1986 ; Les Éditions du Boréal, 1995

Le Night Cap Bar, VLB éditeur, 1987 ; Les Éditions du Boréal, 1997

Oublier, VLB éditeur, 1987 ; Les Éditions du Boréal, 1993

Aurélie, ma sœur, VLB éditeur, 1988 ; Les Éditions du Boréal, 1992

Le Banc, VLB éditeur, 1989 ; Les Éditions du Boréal, 1994

Le Faucon, Les Éditions du Boréal, 1991

Pierre ou la Consolation, Les Éditions du Boréal, 1992

Charlotte, ma sœur, Les Éditions du Boréal, 2005

Marie Laberge

L'HOMME GRIS

suivi de

Éva et Évelyne

Théâtre

Boréal

Les Éditions du Boréal remercient le Conseil des Arts
du Canada ainsi que le ministère du Patrimoine canadien
et la SODEC pour leur soutien financier.

Les Éditions du Boréal bénéficient également du Programme
de crédit d'impôt pour l'édition de livres du gouvernement
du Québec.

Photos de la couverture et de l'intérieur: Carl Sévigny

Diffusion au Canada: Dimedia

Données de catalogage avant publication (Canada)
Laberge, Marie, 1950-

    L'Homme gris; suivi de Éva et Évelyne

    Édition originale: Montréal: VLB 1986.
    Pièce de théâtre.

    ISBN 2-89052-695-X

    I. Titre. II. Titre: Éva et Évelyne.

PS8573.A1688H65 1995   C842' .54   C95-940881-9
PS9573.A1688H65 1995
PS3919.2.L32H65 1995

À Micheline Bernard.

Il attendait la colère noire, terrible, comme on attend une bête bondissant dans la nuit. Mais elle ne vint pas. Ses entrailles semblaient de plomb et il marchait lentement, frôlant les palissades et les murs froids et trempés tout le long du chemin. Une descente dans les profondeurs jusqu'à ce qu'enfin il n'y ait plus aucun prétexte au-dessous. Il toucha le fond solide du désespoir et y prit pied.

Carson McCullers,
Le cœur est un chasseur solitaire.

L'Homme gris
de Marie Laberge
a été créée à Montréal
le jeudi 13 septembre 1984
à la salle Fred-Barry
par les productions Marie Laberge enr.
et le Théâtre du Vieux Québec,
dans une mise en scène de Marie Laberge
des décors et des éclairages de Pierre Labonté
et des costumes de Carole Paré.

Distribution

Yvon Leroux   Roland Fréchette
Marie Michaud   Christine

La production a été reprise à Québec
le mardi 26 mars 1985
à L'Implanthéâtre.

Distribution

Marc Legault   Roland Fréchette
Marie Michaud   Christine

Les personnages

Roland Fréchette – *52 ans, père de Christine.*

> *Le type même de l'homme de bonne volonté.
> Pas très grand, mais mince et soigné, il porte
> une grande attention à l'apparence extérieure.
> C'est un homme convaincu, sûr de lui, de son
> jugement, qui ne doute pas un instant de la
> justesse et de l'à-propos de ses actes. Il a, depuis
> longtemps, déserté l'univers des émotions. Il
> estime que c'est une bonne chose, puisqu'il s'en
> porte beaucoup mieux.*
>
> *Il est donc incapable de ressentir émotion-
> nellement ce qui se passe pour sa fille.*

Christine – *21 ans.*

> *Très menue, maigre. L'anxiété incarnée mais
> profondément intériorisée.*
> *Une plaque sensible, au contraire de son père.
> Tous les demi-sens du discours paternel sont
> des sens flagrants pour elle.*
> *Et des blessures...*
> *Sa seule présence doit nous aider à décoder les
> paroles du père, sans pour autant avoir à
> appuyer le jeu.*
> *C'est une ancienne anorexique.*

Le décor

Un motel. Typique, conventionnel, ennuyeux et pas cher. Deux lits jumeaux séparés par une table de nuit sur laquelle il y a le téléphone et une lampe, grosse et laide. Côté jardin, la porte donnant sur l'extérieur (un parking) et une fenêtre orientée dans le même sens, évidemment. Côté cour, une porte de garde-robe et la porte de la salle de bains. À l'avant-scène, une table basse qui servira pour dîner et deux chaises dites confortables, vieux restant de salon 1960, dont les couleurs n'adonnent même pas.

Parlant couleurs, l'essentiel doit être plutôt chenu et en même temps agressant : tapis avec des motifs passés mais violents, dessus de lits tapageurs, lampes et rideaux d'un goût plus que douteux... Pour terminer, une télévision couleur qui peut s'orienter de tous les côtés, mais qui, au début, est tournée côté lit.

Au début, le motel (la scène) n'est éclairé que par la réflexion de la lumière extérieure qui entre par la fenêtre. La porte s'ouvre, la lumière (un filet) entre de l'extérieur toujours. On entend la pluie, un orage épouvantable. Un homme entre très vite. Il tient à la main et vraiment à bout de bras deux boîtes de carton ficelées ensemble. Il se secoue en regardant l'intérieur du motel. Il dépose ses boîtes sur la table et se retourne. Personne ne l'a suivi.

ROLAND

Cri-Cri! Viens-t'en vite, dépêche-toi avant d'être tout' mouillée.

Il va ramasser un sac de voyage à la porte. Christine entre. Elle a l'air encore plus jeune que son âge. Elle a les cheveux mouillés, les mains dans les poches de son trench trois quarts bleu marine et les pieds mouillés dans ses espadrilles. Elle semble très anxieuse. Elle entre et reste plantée devant la fenêtre, sans montrer le moindre intérêt pour le motel. On devrait avoir envie de se jeter dessus pour la consoler, la bercer...

Roland ferme la porte, dépose le sac près de la T.V., allume le plafonnier qui donne une lumière crue, insultante.

ROLAND

Eh batinse! Tu parles d'une lumière, toi! Attends une menute, on va arranger ça.

> *Il s'agite encore, tout jovial, un peu forcé dans la bonne humeur. Il va allumer la grosse lampe entre les deux lits, celle sur la table qu'il repousse un peu et celle de la salle de bains, dont il laisse la porte entrouverte. Chaque lumière allumée est ponctuée d'un: «Tiens-in...» satisfait. Christine n'a pas changé de place. Elle s'égoutte doucement. Il revient, éteint finalement le plafonnier et se trouve très satisfait.*

ROLAND

Bon-on! Ça plusse d'allure de même, han? Tu vois, on vient d'faire sept piasses: ça déjà d'l'air d'un motel plus chic!

> *Il retourne à la table et défait les cordes des boîtes.*

ROLAND

Ça du bon sens pour dix-huit piasses. On a même la T.V. couleur. Attends une menute, est-tu couleur? *(Il va vérifier.)* Ben oui, est couleur, Cri-Cri, un vrai motel de luxe. On va pouvoir écouter un beau film t'à l'heure. *(Il la regarde, elle n'a pas bougé.)* Ben oui mais, assis-toi, Cri-Cri, ôte ton manteau. On va souper, là. Ça va te remonter, tu vas voir. *(Il va la chercher, l'assoit.)* T'as-tu froid? Veux-tu que j'monte el chauffage? Y doit pourtant y avoir un thermostat dans chambre.

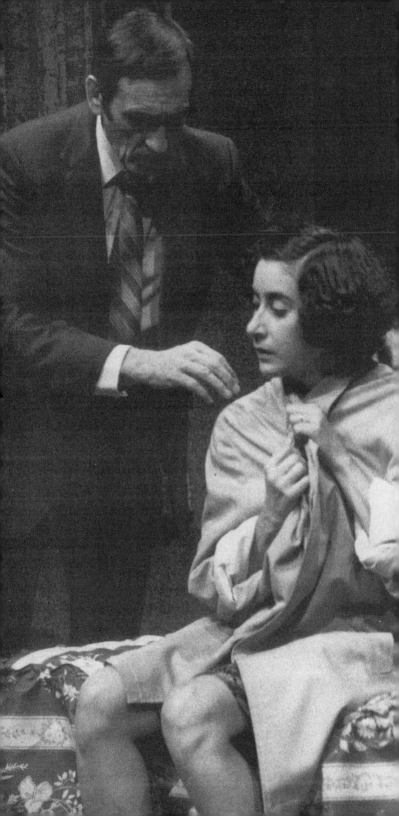

*Par-derrière elle, il vient pour lui ôter
son manteau. Elle résiste silencieuse-
ment. Il lui tapote les épaules en riant,
mais mécontent.*

ROLAND

Ben oui, ben oui, garde-le ton manteau. J'te force
pas, voyons! Pareille comme maman, han, fri-
leuse comme maman! Ben moi, si ça t'fait rien,
j'vas n'enlever une épaisseur.

*Il ôte son trench et va le ranger dans la
garde-robe.*

ROLAND

Tu viendras ben à faire comme moi, tu vas voir.

*Un temps. Il la regarde. Il est encore
derrière elle. Il est inquiet, un peu mal
à l'aise. Il y a comme un trou dans sa
fausse bonne humeur. Puis, il trouve
une sorte de solution.*

ROLAND

Bon ben, moi, j'pense que j'ai mérité mon p'tit
apéro! T'en prendrais-tu un, Cri-Cri? Avec de
l'eau en masse.

*Première réaction de Christine. In-
quiète, elle le regarde ramasser son sac
de voyage, l'ouvrir et en sortir un vingt-
six onces de gin pas entamé. Il va dans
la salle de bains. On entend le verre,
l'eau. Il reviendra avec un verre plein
de liquide pour lui et un autre beaucoup moins plein pour elle. Aussitôt
dans la salle de bains, il se met à parler
plus fort.*

ROLAND

Faut pas qu'tu t'en fasses trop pour maman, là.
Si j'ai arrêté en cours de route, c'est signe qu'est
pas au plus mal. Tu comprends ben que j'aurais
été direct à maison... heu... à l'hôpital si y avait
vraiment lieu de s'inquiéter. C'est grave, c'est sûr,
mais est sua bonne piste, comme disent les doc-
teurs. On va la réchapper. *(Il revient.)* Tiens, bois
ça, ça va te remonter le canayen comme on dit.

> *Il dépose le verre sur la table. Elle n'y*
> *touche pas. Il prend lui-même une*
> *bonne lampée, en tournant le dos à sa*
> *fille, orienté vers la fenêtre.*

ROLAND

Tu parles d'un temps de cochon! Ça pas dérougi
depuis à matin. Quand chus parti d'Sherbrooke,
j'te mens pas, c'tait pas assez d'mes wipers...
Moi, tant qu'à avoir d'la pluie de même, j'aime
autant qu'y neige. Premièrement, c'est plus beau,
deuxièmement, c'est plus propre. Parle-moi pas
qu'y pleuve encore de même au mois de novembre. *(Il termine son verre d'un coup. Claque la*
langue.) C't'un bon p'tit boire, ça! *(Il se retourne*
vers elle, elle n'a pas bougé. Elle ronge ses ongles.)
T'as-tu faim, Cri-Cri? On va t'faire un moyen
lunch, tu vas voir. *(Il ouvre les boîtes de poulet*
barbecue.) Ha! r'garde donc si c'est plate, la cole
slaw a renversé din frites! C'pas grave, passe-moi
ça, j'vas manger c'te boîte-là. Quin, ma Cri-Cri,
bonne appétit!

> *Il se tire un fauteuil et se tire dans le*
> *poulet. Christine le regarde manger*
> *avec beaucoup de doutes, elle retient*
> *même un certain dégoût. Elle se remet*

> *à ronger ses ongles sans toucher à son*
> *assiette.*

ROLAND

Y est bon! Ça fait un peu sec de même, là, mais
avec la cole slaw din frites, ça mouille un peu
plusse. J'aurais p'tête dû t'acheter un coke avec
ça, han Cri-Cri?

> *Il la regarde se ronger les ongles avec*
> *énervement. De toute évidence il ne*
> *supporte pas cela.*

ROLAND

Cri-Cri! Mange donc ton poulet au lieu d'te
manger les doigts d'même. *(Elle sursaute puis*
prend un morceau de poulet très vite, mais du
bout des doigts.) Bon-on, fais a bonne fille, là.
J'vas aller m'chercher un p'tit refill, moi.

> *Il va dans la chambre de bains. Chris-*
> *tine lâche son poulet, s'essuie minu-*
> *tieusement les doigts. Il revient.*

ROLAND

Y est bon, han? C'est ben dur à manquer ça, du
poulet. Même maman qui le manque pas! J'me
sus dit qu'on n'aurait pour notre argent avec du
poulet. Pis ça s'mange froid, y a pas d'incon-
vénient. Sais-tu qu'c'est cher, quand même?
Deux boîtes de même, là, ça va chercher dans
l'quinze piasses avec la taxe... Maudite taxe! On
peut dire qu'on en paye un coup! Pis c'pas fini,
ma p'tite fille, y vont finir par nous faire payer
même une fois rendus dans not' tombe. J'sais pus
yable c'qu'y va falloir faire pour leur échapper.
Qu'les gros riches payent, ça m'dérange pas une

miette. Mais nous aut', quand on dit qu'on est parti de rien pour arriver à être un peu à l'aise à force de sacrifices, pis des efforts, entends-tu, j'trouve ça écœurant d'nous faire er'cracher le p'tit surplus qu'on s'est ramassé, comme si on n'avait pas un manque à gagner du temps qu'on n'avait moins. Les anciens riches eux aut', y ont toutes sortes de trucs pour pas payer d'impôts, c'plus facile pour eux aut', y connaissent les manigances à naissance que j'dirais. C'pas d'hier qu'y jouent au plus fin avec l'impôt. Mais un gars comme moi, qui est à l'aise seulement depuis queques années...

> *Christine sort son paquet de cigarettes de sa poche de manteau. Elle vient pour en prendre une.*

ROLAND

T'es pas pour fumer? T'as rien mangé! Non, non, mange encore un peu, tu fumeras après. Faut qu'tu t'nourrisses aussi. *(Il écarte les cigarettes. Il la regarde en attendant.)* Envoye, mange! C'pas poison, tu vas voir. *(Elle reprend le même morceau de poulet du bout des doigts.)* Bon-on. *(Il se remet à son poulet voracement.)* Ça l'a ben gros inquiété maman, ça, savoir si tu mangeais à ta faim. Faut dire que pour elle, manger à sa faim, ça veut dire pas mal. Pas mal plusse que toi pis moi ensemble! *(Il rit.)* Laisse-moi t'dire que ça s'est pas arrangé depuis qu't'es partie. A l'a ben repris une quinzaine de livres. Avec c'qu'a l'avait déjà comme fond, laisse-moi t'dire que ça paraît! Dire que j'ai marié ça, c'tait slim comme toi! Pas croyable, han?... Ben mettons... un peu plus remplumée qu'toi, mais pas loin... C'est c'qu'on peut appeler un «lointain souvenir». J'te dis que si on n'avait pas des photos des noces, j'aurais d'la misère à l'croire moi-même... C'est quand t'es t'arrivée qu'a l'a faite el plus gros saut. On dirait qu'après toi, a l'a jamais r'perdu la bedaine... est comme restée enceinte, même si t'étais née. Ouain, c't'à partir de toi qu'a s'est mis à engraisser. Ça l'air que c'est ben dur avoir un enfant. *(Il la regarde, pensif.)* J'me demande si ça va t'faire le même effet, toi?

> *Christine rejette son poulet à peine grapigné. Elle retient difficilement un sursaut de dégoût.*

ROLAND

Avec c'que tu manges en té cas, t'as pas l'air partie pour ça. Manges-tu au moins? Chez vous, là, avec ton mari, tu mangeais-tu? T'as pas r'commencé tes folies, là? Ça nous a coûté assez cher de pilules pis toute... J'espère ben qu'c'est fini, c'temps-là.

> *Il la regarde. Elle s'était remise à se ronger les ongles. Elle s'arrête brusquement, gênée.*

ROLAND

S'tu parce que t'es t'inquiète de maman? Fais-toi z'en pas. J't'ai p'tête mis ça pire que c'est parce que j'voulais qu'tu reviennes avec moi... maman aussi... ouain, heu... c't'un peu sec, c'te poulet-là!

> *Il finit son verre, se lève pour aller en prendre un autre. Aussitôt qu'il est dans la salle de bains, Christine se prend une cigarette. Roland revient.*

ROLAND

J'peux ben m'permettre ça. D'abord qu'on r'prend pas a route à soir... J'te dis qu'j'ai faite une méchante ronne aujourd'hui. Avec el temps qu'y fait en plusse... maman avait peur qu'ça vire en neige... y avaient annoncé du verglas... mais chus ben chaussé: quatre pneus Michelin, là... *(À bout de conversation, il s'approche de la fenêtre.)* Non, ça va rester en pluie, ça épaissira pas beaucoup, ça. C'pas demain matin qu'on va s'réveiller avec la première neige. Tant mieux, han, parce que maman aurait faite du sang d'nègre. *(Il revient à table, son verre fini.)* Tu manges pas tes frites? Sont pas mouillées, pourtant. Ta cole slaw a pas renversé, toi. Ça t'fait rien que j't'en pique queques-unes?

> *Christine repousse la boîte vers lui.*

ROLAND

Les miennes étaient un peu trop molles à mon goût. Tiens, mange c'te morceau-là. *(Il lui tend un morceau de poulet.)* Jusse cel-là, après, j'te laisse tranquille. Fais a bonne fille, là.

> *Elle se met à grignoter le poulet très lentement, tout en fumant.*

ROLAND

Y a pas à dire, han, tes frites sont meilleures que les miennes...

> *Un temps. Il arrête de manger. Silence. Il sort la petite napkin mouillée de son enveloppe, se nettoie les doigts, la remet dans la boîte, sur le poulet. Il sort son coupe-ongle et se fait une petite révi-*

sion dont il n'a pas besoin. C'est un tic
chez lui de recouper indéfiniment les
bords de ses ongles. Finalement, il serre
son coupe-ongle. Soupir.

ROLAND

Ouain... tu parles pas gros, ma Cri-Cri... t'as
jamais faite trop d'bruit, mais là, c'est pire que
pire. C'tu l'mariage qui t'a faite ça? *(Il rit un peu,*
puis cesse brusquement.) P'tête jusse que t'es
comme moi, t'as d'la misère à parler. Maman,
elle, a pas d'misère avec ça, les phrases. C'pas
avec elle que tu trouves el temps creux... On peut
dire que c'est une de ses qualités, ça, a l'a
beaucoup d'conversation. J'dis pas qu'a dit tout
l'temps des affaires importantes, mais a parle,
han, a fait du bruit comme on dit. Depuis qu't'es
partie d'la maison, a l'arrête pas : a pigrasse pis
a placote tout l'temps. Est toujours en p'tits
comités avec une voisine ou ben ma sœur, là, ta
marraine... a brasse... ça y fait du bien pis ça dérange personne. Même moi, ça m'dérange pus!
J'écoute pus! *(Il rit.)* C'est comme un bruit de
fond, j'vas t'dire, comme une deuxième T.V. qui
marcherait dans maison... Mais toi, ma Cri-Cri,
t'as jamais dit grand-chose. À part de quand
t'étais p'tite, t'as pas faite grand bruit dans c'te
maison-là. Faut croire que t'étais heureuse... on
a toute faite pour, en tout cas. C'pas nous aut'
qui t'a maltraitée. Pis on n'a pas ménagé non
plus... T'as-tu fini d'souper?... Parce que j'aimerais ça t'parler d'queque chose, là... j'aimerais
ça avoir une conversation avec toi. Ça nous est
pas arrivé souvent, mais là, j'pense que ça s'im-
pose... heu... veux-tu un aut' verre? Ben non, t'as
pas encore bu l'tien! Attends-moi une menute, je
r'viens.

Il va remplir son verre. Christine, très inquiète, se ronge les ongles. Il revient. Plutôt mal à l'aise, il ne sait pas par où commencer.

ROLAND

Tu penses ben qu'j'aurais pu continuer direct à maison si j'avais voulu... j'aurais été capable de l'faire. Non, si j'ai arrêté ici, c'pas pour j'ter l'argent par les fenêtres, c'est parce qu'y fallait que j'te parle seul à seule avant d'arriver à maison. Pis c'pas parce qu'y est arrivé quelque chose de grave à maman. Non, non, heu... l'accident cardiaque dont j't'ai parlé, là, chez vous à matin, l'hôpital pis maman qui a besoin d'toi, là, c'tait pas tout à fait vrai. Mettons que... c't'une sorte de défaite que j'me sus donnée pour pouvoir te sortir de chez vous pis te ramener à maison. Comprends-tu?

> *Elle le regarde, interdite, en se rongeant un ongle désespérément.*

ROLAND

Arrête de ronger tes ongles, veux-tu? Ça t'donne l'air r'tardée! Tu comprends-tu c'que j'te dis?

> *Elle fait signe que oui, s'allume une cigarette en tremblant. Il ne veut plus la regarder, il marche dans la chambre.*

ROLAND

J'ai-tu besoin de t'expliquer pourquoi j'te ramène à maison?

> *Elle le regarde fixement. Comme une bête en danger.*

ROLAND

Batinse, on dirait qu't'as peur de moi! C'pas
d'moi qu'tu devrais avoir peur, pis tu l'sais. J't'ai-
tu jamais faite de quoi? J't'ai-tu jamais touchée,
faite du mal? Jamais! Quand j'perdais patience,
j'm'arrangeais pour aller ailleurs. J'ai toujours eu
l'bon sens de m'éloigner quand la main m'dé-
mangeait. Pareil avec maman. Des fois, j'me
d'mande ben c'que ça l'a donné d'plusse d'avoir
autant d'contrôle. Ça t'a pas empêchée d'te
marier avec un imbécile qui a même pas un
métier qui a du bon sens. En té cas, ça c't'un aut'
histoire. Mais t'as pas à me regarder avec des
grands yeux tout épeurés, j't'ai jamais faite de
mal, j't'ai jamais touchée, pis c'pas aujourd'hui
que j'vas commencer. Comprends-tu? Comprends-tu c'que j'te dis?

Elle fait oui de la tête, précipitamment.

ROLAND

Batinse que t'es choquante! J'comprends des fois
qu'on aye envie d'te prendre à deux mains pis
d'te brasser jusqu'à temps qu'y sorte queque
chose de toi. Qu'ça soye intelligent ou pas, c'pas
grave, on t'en d'mande pas tant!

Il prend une gorgée. Temps.

ROLAND

S'cuse-moi... c'pas ça que j'voulais dire... Chus
persuadé qu't'es ben intelligente... toutes les
spécialistes qu'on a consultés l'ont dit d'ailleurs,
t'as pas besoin d't'inquiéter là-dessus. J'ai même
des rapports écrits qui le prouvent à maison. Ça
coûté assez cher qu'y l'ont écrit sus du papier,
t'auras au moins ça comme diplôme à défaut de

n'avoir des vrais. Je l'dis pas pour te faire d'la peine, là, comprends-moi bien, je l'dis parce que ça peut être important pour toi un jour. J'ai gardé ces papiers-là pour te rassurer sur toi-même si jamais t'en as besoin... *(Temps.)* Mais c'est pas d'ça qu'on parlait, han ma Cri-Cri? On parlait d'la crise cardiaque à maman, on disait que c'tait une sorte de défaite... *(Temps.)* J'ai jamais menti, Cri-Cri, j'ai jamais conté de menterie dans ma vie. Tu sais comme moi comme j'haïs la menterie. J'peux pas sentir ça. Un menteur pour moi, ça pire sorte de monde qu'y a pas. Ça m'est arrivé de déguiser la vérité par charité humaine, ça oui, ça m'est arrivé de pas répondre, de rien dire plutôt qu'd'être obligé d'mentir tellement qu'ça m'répugne, mais aujourd'hui, à matin, j't'ai menti. Pis l'pire, c'est qu'c'est toi qui m'as forcé à mentir. C't'à cause de toi qu'j'ai menti. Pour toi. J't'ai menti pour ton bien. Parce que si j't'avais dit la vraie raison, tu m'aurais pas suivi, t'aurais pas voulu. Pis c'pour ça, pour me permettre de conter ma menterie que maman m'a laissé y aller tu-seul. C'tait pas rien pour elle. C'tait un gros sacrifice de sa part. Fa que, tantôt, on va l'appeler, han? On va y téléphoner pour la rassurer. Pis elle... a va appeler ta marraine. *(Un temps.)* Tu sais pourquoi j'dis ça?

> *Christine ne fume plus, sa cigarette s'est consumée d'elle-même. Elle est rigide, glacée là.*

ROLAND

T'as pas l'air de comprendre, là, Cri-Cri... Quand ta marraine est allée t'voir y a trois mois à Rimouski, a s'est aperçue de c'qui s'passait chez vous. Ça l'air que ton imbécile de mari s'est pas

gêné pour y dire c'qu'y pensait d'elle pis d'nous
aut'. Je l'sais pas si y boit, si y a des excuses ou
non, toute c'que j'sais, c'est qu'ta marraine l'a
trouvé ben violent, pis qu'a l'a trouvé qu'tu
faisais ben pitié, pis qu't'étais pas mal cernée. Fa
que, t'a connais, han? A l'a pas faite ni un ni
deux, pis est restée à Rimouski deux jours de
plusse, à l'hôtel, à ses frais pour faire un enquête.
Ben son enquête, ça l'a donné qu'on a toute su!
Toute! Ta marraine a ben des défauts, a l'exagère
souvent, mais là, a l'a même essayé d'nous en
cacher des bouttes tellement qu'a l'était scan-
dalisée. A l'a pris ses renseignements sus lui, a l'a
parlé au monde qui reste dans l'même bloc que
vous aut', l'air de rien, là, avec toutes sortes de
raisons qui avaient l'air vraies. Tu sais comment
c'qu'est menteuse. A l'a faite accroire qu'a voulait
déménager dans l'bloc, qu'a voulait savoir si c'tait
calme ou pas... y a rien qu'a l'a pas inventé pour
venir à bout d'savoir le fond d'l'histoire. Pis l'fond
d'l'histoire, y est pas ben beau. Pis j'tais pas fier
de toi quand ta marraine m'a conté ça. A m'a
même dit à moi, pas à maman, mais à moi a m'a
dit qu'a t'avait revue un peu plus tard, avec un
autre menterie j'suppose, en té cas, a t'avait revue
avec un doigt foulé «par accident», que tu y
aurais dit. Pis c'te jour-là, t'avais un col roulé
jusqu'aux oreilles, pis ça d'l'air qu'on crevait de
chaleur. Penses-tu qu'ta marraine t'a crue?
Penses-tu qu'ça l'a collé ton histoire de porte
d'armoire pour le bleu que t'avais sus l'front? Pis
comment qu'ton mari avait été fin, pis comment
y avait compris que tu souffrais pis toute? Nous
prends-tu pour des caves? Faudrait qu'tu n'in-
ventes des mieux qu'ça pour nous faire marcher
dans ton affaire. Écoute-moi ben, Cri-Cri: t'as pas
d'raison d'rester avec lui si y t'bat, t'as pas

d'raison d'protéger un gars d'même. As-tu pensé
à maman? J'te parle pas d'moi, là, mais as-tu
pensé comment maman a pu avoir honte quand
ta marraine y a conté ça? Si des affaires de même
se savaient, as-tu pensé à la honte que ça nous
ferait? Je l'sais pas comment c'que tu fais pour
aimer un gars d'même, déjà avant d'savoir qu'y
t'battait j'comprenais pas. Mais là... c'pas mêlant
j'me demande si t'es normale. Jamais, entends-
tu, jamais j'vas t'laisser retourner avec un gars qui
te bat. J'aime autant avoir la honte du divorce que
d'risquer qu'un jour ça se sache. J'laisserai
personne lever la main sus toi. Je l'ai jamais faite
pis je laisserai personne le faire tant que j'serai
en vie. Ça, tu peux être sûre de t'ça, ma p'tite
fille: si t'es pas capable de t'protéger tu-seule, à
n'importe quel âge, j'vas l'faire moi. Si quequ'un
t'bat, c't'à moi qu'y touche. C'est moi qu'y insul-
te, c'est moi qu'y rabaisse. Pis c'pas un p'tit crétin
comme ton mari qui va m'faire peur: y peut venir
me voir, y va trouver à qui parler. Mais y lèvera
pas a main sur moi certain, y va se r'trouver sus
l'plancher plus vite qu'y pense. Mais à partir de
tu-suite, tu peux t'considérer comme divorcée. La
cruauté physique, ça sera pas dur à plaider. Pis
ça coûtera c'que ça coûtera, entends-tu? J'sais
pas c'que t'as pensé pour te laisser battre de
même pendant deux ans. Tout c'que j'espère,
c'est qu'ça fait pas deux ans qu'ça dure. Mais si
ça fait deux ans, ça va prendre un maudit bon
spécialiste pour m'expliquer ça. T'as des parents
qui t'aiment: n'importe quand tu pouvais r'venir
chez vous, c'pas donné à tout l'monde, ça. On sait
oùsqu'est not' devoir, on n'a jamais reculé, on t'a
donné tout c'qu'y a d'mieux, peu importe le prix
qu'ça coûtait, on n'a jamais r'gardé aux sacrifices
que ça voulait dire. Pis tout c'que tu trouves à

faire, c'est d'te laisser fesser par un p'tit crétin qui
mesure pas cinq pieds sept! T'as pas d'fierté Cri-
Cri, t'as pas d'fierté, ni pour toi, ni pour tes parents. Pis essaye pas de m'conter les menteries
que t'as contées à ta marraine, tu sais comment...

> *Christine a vraiment un haut-le-cœur.*
> *Elle se précipite dans la salle de bains*
> *et ferme la porte. Le père va à la porte,*
> *alarmé.*

ROLAND

Cri-Cri? Cri-Cri, réponds! T'es-tu malade? T'es-
tu en train d'vomir? T'as-tu besoin d'aide?
Rouvre la porte, là, laisse-moi rentrer! Cri-Cri?

> *Rien sauf le bruit de la chasse d'eau.*

ROLAND

Ça va-tu mieux? T'es-tu soulagée, là? T'as eu mal
au cœur, c'est ça? On n'en parlera pus si tu veux.
J'comprends qu'c'est dur pour toi. Rouvre la
porte asteure, Cri-Cri. T'es pus malade, là, c'est
passé? Viens, sors de d'là, j'vas m'occuper d'toi.
On parlera pus de t'ça, jamais. C'est fini. Mort et
enterré... on va te r'faire un aut' vie... tu vas voir.
On va en parler jusse si tu veux, si t'en sens
l'besoin. *(Temps.)* Ça va-tu mieux, là? Viens-t'en,
là, Cri-Cri...

> *Christine sort des toilettes. Elle va*
> *s'asseoir au bout du lit. Roland se*
> *précipite vers la table, ôte les boîtes.*

ROLAND

J'vas t'ôter ça, ça sert à rien qu't'ayes toute c'te
poulet-là dans face.

Il ramasse tout en vitesse.

ROLAND

Veux-tu j't'ouvre la T.V.? Y a p'tête un bon film.
Ça te changerait les idées... attends une menute,
je r'viens.

> *Il a les mains pleines. Il va porter les*
> *boîtes dans la poubelle de la salle de*
> *bains. Il revient, ouvre la T.V., remet les*
> *chaises en place. Elle est toujours au*
> *bout du lit, glacée. Il prend sur la table*
> *le verre qu'il lui avait préparé.*

ROLAND

Par chance tu l'as pas bu. Ça t'aurait pas faite de
bien, ça. *(Il le boit.)* T'as toujours eu l'estomac
fragile, han, une sorte de faiblesse de c'côté-là.

> *Il s'assoit dans un fauteuil, sort une*
> *cigarette et la porte à sa bouche sans*
> *l'allumer.*

ROLAND

A pas peur, je l'allume pas. J'asseye d'arrêter.
C't'un bon moyen: y a jusse à pas l'allumer.
C'pas loin d'être pareil, han? La boucane en
moins?

> *Pas de regard. Christine est comme en-*
> *foncée en elle-même, au-delà de tout.*

ROLAND

Cri-Cri! Tu m'entends-tu? *(Elle sursaute, le*
regarde.) T'en veux-tu une? Gêne-toi pas pour
moi.

> *Elle fait non doucement de la tête, les yeux pleins d'eau.*

ROLAND

J'vas rester ici... tu peux écouter ton émission tranquille. J'vas finir ton verre... *(Il écoute un peu le film.)* Veux-tu j'monte l'son? J'vas monter l'son un peu, on n'entend rien.

> *Il s'exécute. Elle n'écoute pas la T.V. Elle est assise là, désespérée. Il se rassoit, se relève, prend ses pantoufles dans son sac, les met. Il se rassoit. Il va éteindre la lumière sur la table de nuit. Le dialogue du film, un dialogue d'amour à l'opposé de ce qu'on vient d'entendre, continue pendant que l'éclairage baisse lentement.*

> *La lumière revient après une courte ellipse, pour indiquer que le temps a passé. Christine est dans la salle de bains, porte fermée. Roland, assez avancé sans être saoul, est au téléphone, nerveux. Il surveille la porte de la salle de bains.*

ROLAND

Oui, charges renversées, c'est ça... ça s'peut, ça?... Roland Fréchette... oue-oui...

> *Il attend, pianote, arrange les oreillers du lit de Christine. On sent que ça répond à l'autre bout.*

ROLAND

Dis oui, là, maman!... Bon!... Oui, oui, c'est moi, c'est moi... Non, on s'est arrêté en cours de route comme j't'avais dit... On est à Joly, là. Ben oui, est avec moi... Bon, écoute là, j'peux pas t'parler trop longtemps, mais y a une affaire que j'veux t'dire : c'est aussi ben de pas trop parler de ça, tu comprends ? Pas un mot sus l'histoire de Patrick, son mariage, pis rien... Ben certain ! Assez qu'ça l'a rendue malade, a l'arrête pas d'faire l'aller-retour aux toilettes depuis qu'on est ici... Arrête de crier, maman, c'pas ça là, c'est jusse el choc...

> *Christine sort de la salle de bains, sans bruit. Elle porte toujours son manteau. Elle reste appuyée au cadre de porte. Roland ne l'a pas vue.*

ROLAND

On va attendre un peu avant d's'énarver. O.K. ? Mettons qu'est jusse malade... ouain, demain matin de bonne heure... ça va dépendre de Cri-Cri, si est malade de même toute la nuit...

> *Il se retourne, la voit, tapote sur le lit pour qu'elle vienne s'asseoir, fait un sourire découragé vers le téléphone comme s'il parlait à quelqu'un de vraiment pas raisonnable.*

ROLAND

O.K... O.K... m'a toute faire ça... ça marche... Bon, c't'assez là, c't'un longue distance qu'on fait. C'est ça... Bonsoir là. *(Il raccroche.)* Est ben inquiète... t'a connais, han, a saute au pire tu-suite. Ben jusse si y faudrait pas qu'on aille à l'urgence. J'te dis qu'l'urgence à Joly, a doit être joliment loin ! *(Il rit.)* Ça va-tu ? T'as-tu encore froid ? Installe-toi donc, là, reste pas debout sur l'bord d'la porte des toilettes, ça va t'donner envie d'y r'tourner.

> *Il va la chercher, elle va s'asseoir au*
> *bout du lit.*

ROLAND

J'ai jamais vu quelqu'un d'aussi faible de l'estomac... depuis qu't'as douze ans qu'tu vomis...
Maman a pas tort de s'inquiéter... on pensait ben
que c'tait fini ça... on pensait qu't'étais v'nue à
boutte d'arrêter d'vomir à tout bout d'champ...
Pour moi, t'as pas vu les bons spécialistes. *(Un*
temps.) C'est p'tête une grippe, han? Au mois
d'novembre de même, c'pas rare, pis est roffe de
c'temps-là : j'ai un employé qui en a faite une, y
a manqué une semaine et demie. Y est revenu
vert, j'te mens pas.

> *Un temps. Roland ne sait pas quoi*
> *faire ou quoi dire. Il tourne autour*
> *d'elle...*

ROLAND

Cri-Cri, si t'as la grippe, là, y faut qu't'enlèves c'te
manteau mouillé-là, pis tes souliers. Viens, j'vas
t'aider.

> *Immédiatement, elle se tasse, serre ses*
> *bras contre elle.*

ROLAND

Tu veux pas? J'te dis qu'ça t'ferait du bien, ça te
réchaufferait. *(Elle fait un geste brusque pour se*
protéger. Il le prend comme une agression.) Non?
Comme tu voudras! M'ostinerai pas comme
maman, certain!

> *Il va chercher son verre vide sur la*
> *table et va dans la salle de bains le*

*remplir. Christine va vers le fond de
son lit, on dirait qu'elle fait un concours pour celle qui va prendre le
moins de place. Elle est tassée, on la
voit de plus en plus inquiète, mais
comme sans tonus pour se défendre,
ce qui lui donne un air terrifié, aux
aguets. Elle écoute pourtant tout ce qui
se dit et y est très sensible.*

*Roland revient avec son verre. Il a bu,
mais il n'a pas l'air saoul. C'est une
ivresse très intérieure qui agit plus sur
le discours que sur la diction.*

ROLAND

Es-tu correque? As-tu besoin de queque chose?
C'est plate qu'on n'aye pas d'pilule, rien. Si
maman était là, on aurait toute c'que ça prend.
Maman a s'déplace pas sans ses pelules, est
comme el curé avec son bréviaire. *(Il rit. Un
temps. Il s'assoit sur la chaise.)* Ouain, c'pas drôle
d'être pognée d'même... j'espère que tu vas pouvoir dormir un peu. Sans ça, maman va penser
que j'te maltraite avec. *(Il réalise brusquement ce
qu'il a dit, la regarde.)* Ah! S'cuse, j'parlais en
général... *(Se prend une cigarette.)* T'en veux-tu
une?

*Elle sort les siennes de sa poche de
manteau.*

ROLAND

Ah! c'pas ta sorte?... Au moins tu fumes pas des
C.D.A. Y en a assez d'même qui économisent sus
nos paquets. Les bureaux en sont remplis! Es-tu
sûre que c'est bon pour toi de fumer?... J'imagine
ben qu'tu l'sais... ça tannait ben gros maman

qu'tu fumes... a trouvait donc que c'était pas bon pour toi, pour ta santé délicate comme a dit. Moi heu... j'ai pas tellement d'opinion là-dessus... qu'une femme fume, j'trouve pas ça plus laid qu'un homme. M'as dire comme on dit: faut évoluer avec son temps. Une femme est pas nécessairement plus vulgaire parce qu'a fume, faut être drôlement simpliste pour penser ça d'nos jours! Quand j'tais jeune, moi, ça s'faisait pas... y avait jusse une putain pour fumer sus a rue. Ouain, une femme qui fumait sur la rue, tu pouvais y demander combien... Fumer pis boire... ça, ça s'faisait pas pour une femme... Remarque que ça les empêchait pas de l'faire en cachette... y en a ben plusse qu'on pense qui buvaient. Moi... m'a t'dire un grand secret... moi, ma mère buvait. Ah! pas un peu, là, jusse pour dire... non, non, a buvait, a s'fraisait comme on dit... ni plus ni moins qu'un alcoolique. Ouain... c'pour ça que moi, j'fais attention. *(Il montre son verre presque vide.)* J'me surveille, j'me retiens... parce que j'vois ben que j'pourrais avoir une tendance... Là, à soir, c'pas pareil... chus pas assez saoul pour pas m'rendre compte que j'en ai pris plusse que d'habitude... mais on a eu des émotions fortes aujourd'hui. C'tait pas facile pour moi de faire c'que j'ai faite. C'tait pas facile, Cri-Cri. Ça, tu comprendras ça un jour quand t'auras des enfants: y a des affaires qui sont ben dures dans vie, y a des affaires qui t'knockent on dirait. Pis les enfants... c't'un peu comme les parents... on dirait qu'à longue, au bout du compte, ça réussit à t'faire autant d'mal que d'bien. Là, j'parle en général, du monde que j'vois... des gars au bureau... Ouain, ça pas pris d'temps que j'm'en aperçoive à part de t'ça qu'a buvait. A était pas facile, ma mère, a était pas tout l'temps là... Ben p'tit déjà, j'me souviens qu'a m'chantait des chansons, pis qu'a pleurait d'sus, c't'effrayant. Moi, a m'faisait peur. A parlait tellement fort, a faisait des grands gestes, des «sparages» que mon père disait... y est parti... y a sacré son camp, y en pouvait pus, pis y pouvait rien faire... A n'en cachait partout: y a pas une bouteille de vinaigre qui avait du vinaigre dedans. Son parfum, ses affaires, y avait du gin partout dans maison. Aussitôt qu'a l'avait une cenne, d'mande pas c'qu'a faisait: a partait s'chercher d'la boisson. Personne l'a su. Jamais. Pis c'pas ma sœur qui y a faite d'la publicité. Est partie elle avec. A s'est arrangée pour se marier jeune, pis a l'a pus jamais parlé d'elle. Sauf une fois morte. Une fois ma mère morte, ta marraine a viré d'opinion. Là, c'tait rendu qu'sa mère était une sainte qui avait élevé deux enfants tu-seule, sans son écœurant d'mari qui l'avait plantée là. J'ai jamais rien dit, rien corrigé de c'qu'a disait... premièrement parce que ça avait l'air d'y faire du bien d'dire ça, pis après, ça me regarde pas. L'important pour moi, c'est que personne sache qu'a l'était d'même, qu'a l'avait des problèmes de boisson... maman sait pas ça! Va jamais y dire ça, toi, a m'pardonnerait jamais, pis chus sûr qu'a dirait qu'ta faiblesse d'estomac, ça vient de d'là. Mais c'tait pas l'estomac, ma mère, c'tait l'foie. A n'est morte aussi. Boire de même, c'est sûr que ça pardonne pas: n'importe qui en mourrait. Pis ça pas été long... Chus resté tu-seul avec elle à partir de dix-huit ans, quand ta sœur, heu, ma sœur, là, ta marraine, a s'est mariée. Pis chus resté onze ans. Jusqu'à sa mort. Fallait a surveiller... pour pas qu'a tombe. Est venu un temps qu'a s'cassait une cheville ou ben un poignet de rien. Ça, c'tait vers la fin. Ah! vers la fin, c'tait pas beau à voir:

a délirait, a disait n'importe quoi, j'me d'mande si a s'rappelait que j'tais son fils. Moi, en tout cas, j'essayais d'l'oublier. J'vas t'dire ben franche-ment, j'aurais aimé mieux l'oublier là, comme ma sœur. Elle, de ses noces jusqu'à sa mort, a l'a jamais revue. Moi, j'l'ai vue, j'l'ai vue descendre plus bas qu'un animal, j'l'ai vue ressembler à toute sauf à une mère. Pis j'y ai toujours fourni sa boisson. Pendant onze ans. Toutes ses besoins de boisson. A me n'a-tu conté des histoires pis des promesses pour que j'y fournisse d'la bois-son! Mais j'tais pas bonasse, a m'avait pas avec ses histoires, ses drames, pis ses grands'inven-tions. Elle, a pensait qu'ça pognait. Moi, j'disais rien, j'la laissais faire, mais j'y achetais sa boisson rien qu'pour une raison : pour pas qu'a sorte de même. J'voulais pas que l'monde le sache, ni la voye de même, avec sa face tout égarée à conter des histoires imbéciles pour attendrir le monde pis avoir un verre. J'avais honte d'elle. Pis c'pour ça qu'c'est moi qui allais acheter a boisson. J'ai jamais acheté du gin dans même régie pendant le même mois. J'faisais l'tour d'la ville si y fallait, j'en achetais dans un aut' ville, j'm'arrangeais pour demander à quequ'un d'en acheter pour moi, un p'tit service de même, pas souvent, rien qu'quand j'tais ben en peine... Ouain, j'voulais pas que personne s'en doute, que personne à régie ou mes tchums s'en doutent. J'aurais eu tellement honte... Y avait moi qui le savais pis c'tait en masse. J'y ai fourni c'qu'a l'avait besoin, pis c'tait pas rien, pis elle, est restée en d'dans, dans maison. Ça, c'tait not' entente. Si jamais a sortait s'quêter un verre, a savait qu'a l'aurait pus rien de moi. Pis là-d'sus, j'aurais pas bougé. Jamais j'aurais pu supporter la honte que l'monde le sache. Jamais. Pis laisse-moi t'dire qu'est restée

dans maison. Un épave... à fin, c'tait un épave...
assez qu'j'ai fait venir el docteur, pis lui m'a dit
qu'ça serait pas long, que si a continuait à boire
de même, ça prendrait pas grand-temps avant
qu'a meure. Pis y avait ben raison. J'ai essayé d'la
faire arrêter, j'ai essayé même si j'y croyais pas.
En tout cas, j'y ai dit c'que l'docteur avait dit au
moins. Pour qu'a sache c'qu'a faisait. Mais elle,
ça y faisait tellement mal... A m'a menacé, a m'a
dit qu'a sortirait dans rue pour crier qu'a était
alcoolique, pis qu'c'est son fils qui l'encourageait
à boire. Tu vois... tu vois... j'avais jamais pensé
qu'a l'avait pu deviner ça, qu'a savait comment
m'prendre, qu'a savait qu'la pire affaire qui
pouvait arriver pour moi, c'tait pas qu'a meure,
c'tait que le monde le sache. Fa que j'y en ai
donné. J'y ai donné c'qu'a voulait, pis je l'regrette
pas. C'est ça qu'a voulait, ben a l'avait faite son
choix, c'est toute... C'est drôle, han, mais j'pense
qu'a m'haïssait des fois. Moi, le seul à être resté
avec elle, le seul qui s'en est occupé. Pas longtemps avant d'mourir, a m'a dit: «Tu pensais
qu'je l'savais pas, han, tu pensais qu'je l'savais
pas qu't'avais honte de ta mère? Ben mon p'tit
gars, t'apprendras que quand on passe une vie à
avoir honte devant l'monde, on est capable de la
r'connaître quand a passe dans face des autres.
J't'ai vu avoir honte de moi pis pour moi depuis
qu't'es haut de même... ben ça t'a rien appris,
mon p'tit niaiseux, ça t'a rien appris.» Là-d'sus,
a s'trompait parce que ça m'a appris d'savoir
quand m'arrêter avec une bouteille. J'ai appris à
m'contrôler en batinse: jamais dépasser la mesure, j'ai jamais été aussi saoul qu'elle, pis j'ai
jamais eu besoin d'un verre comme elle. J'aime
à prendre un verre, j'ai même une tendance, je
l'cache pas, mais moi je l'sais, pis je l'contrôle.

Pis personne aura jamais honte de moi, comme moi j'me sus ben promis de pus jamais avoir honte... C'pour ça qu'personne le sait. Maman, si a l'savait, a l'arrêterait pas d's'en faire, de chercher des indices, de penser que là, ça y est, chus rendu alcoolique. Non, a pense que ma mère est morte du cancer du foie, pis c'est parfait d'même. A l'a pas à en savoir plus long là-dessus, pis c'pas ça qui changerait sa vie.

Un temps. Il rit tout seul.

ROLAND

C'qu'a sait pas, c'est qu'ça l'a un peu changé sa vie... Pas longtemps avant qu'a meure, ma mère s'est mis à s'inquiéter d'mon avenir. J'sais pas c'qui y a pris, a l'a dû s'souvenir tout à coup qu'a l'avait eu des enfants... en té cas, sua fin, a l'arrêtait pas de m'demander si j'allais me marier. A me demandait mon âge, pis chaque fois après, c'tait immanquable, a m'disait qu'y fallait absolument que j'me marie. «Pour me sauver d'la boisson», qu'a disait. Comme si l'mariage l'avait sauvée d'queque chose, elle. En té cas, a s'fatiquait pis a m'fatiquait assez avec ça, que j'y ai dit oui, que j'allais me marier quand a irait mieux. Est partie à rire, pis a m'a dit que j'serais bon pour me marier dans quinze jours, qu'à ce moment-là a serait morte et enterrée. C't'après ça qu'a s'est mis à rire de moi, à dire que j'tais pas mieux qu'elle, que c'tait même pas vrai mon histoire de mariage, que j'avais dit ça pour avoir la paix. Pis a m'disait que, rien qu'pour m'écœurer, a mourrait pas avant d'avoir vu c'te femme-là. A parlait d'même ma mère, a était ben directe, c'est l'alcool qui y avait faite ça: ben des détours pour en avoir, mais une fois qu'a l'avait, a parlait

raide en batinse, pis a sacrait pis a parlait contre el monde entier. En té cas... j'ai fini par être obligé d'y amener quequ'un pour avoir la paix. Une fois qu'on s'tait entendu qu'a dirait qu'a l'avait un cancer du foie, pis pas un mot sus l'resse pour pas faire de tort à mon avenir, j'me sus décidé. Dans c'temps-là, maman travaillait comme secrétaire proche de mon bureau. J'l'avais amenée une fois d'même au cinéma, rien d'plusse. J'y ai d'mandé c'te service-là, par charité humaine que j'y ai dit. Pis a l'a voulu. J'l'ai amenée à ma mère qui y a mis dans tête que j'aurais besoin d'aide quand a s'rait pus là, toutes sortes d'histoires de fou, là, des accroires d'alcoolique : un grand numéro. Maman a pris ça au sérieux. Quand ma mère est morte, a l'a cherché l'salon où était exposée, toute. A l'a jamais trouvé, vu que j'l'ai faite enterrer tu-suite. Mais après, plus tard, quand j'l'ai revue, un coup qu'ma mère était pus dans l'portrait, j'ai commencé de l'apprécier pour elle-même. A l'était très sociable, a disait jamais rien de déplacé pis c'tait une femme qui avait rien à se reprocher. Fa qu'on s'est marié, pis tu vois que c'tait un bon coup : on s'entend ben pis y a pas d'chicane. Y en a ben eu un p'tit peu sus toi, là, quand t'as commencé d'être malade, mais pas plusse. Si c'était pas d'toi, là, de ta maladie vers tes douze ans, on se s'rait jamais dit un mot plus haut qu'l'aut'. C'pour dire, han ?

> *Christine se lève doucement. Roland croit qu'elle a un malaise.*

ROLAND

Encore ? Ça va pas mieux ? Eh ! Batinse, tu parles d'un affaire, toi.

Christine va aux toilettes. Roland
regarde son verre, hoche la tête.

ROLAND

J'pense que j'devrais arrêter ça, asteure. Ça va
m'jouer des tours. Chus rendu jaseux sans même
m'en rendre compte. Ouain... m'a arrêter ça.

Il vide son verre. Un temps. Il se lève,
ouvre la T.V.: Neige — plus rien! Il
l'éteint, va à la fenêtre. Christine sort
des toilettes, elle regarde son père, veut
lui parler. Il la coupe.

ROLAND

Bon, ça va mieux, là? Qué cé qu'tu dirais de
t'coucher pis dormir, han? On a une grosse journée demain.

Christine va sur son lit, s'assoit, recro-
quevillée. Roland va à la salle de bains,
revient, ferme la lumière, s'étend tout
habillé.

ROLAND

J'vas jusse m'étendre un peu. Gêne-toi pas de
m'réveiller si t'as besoin d'queque chose ou ben
si t'es malade.

Il éteint la lampe entre les deux lits. On
entend la pluie. Il n'y a que le filet de
lumière qui vient de la fenêtre — un
néon intermittent si possible. Un
temps, puis, dans le noir, on entend:

CHRISTINE

Ton p-p-pe... ton p...p-père, lui?

> *Attention: Christine est affectée d'un bégaiement clonique. Donc, ne pas en mettre, suivre fidèlement les hésitations inscrites. Elle n'hésite que sur le p.*

ROLAND

(Surpris, toujours dans le noir.) Mon père?... J'sais pas, j'sais pas pantoute. Y doit être mort à l'heure qu'il est... en té cas, pour moi y est mort, y est mort quand j'tais p'tit gars... *(Temps.)* En té cas, pense pus à ça, c'pas important, t'es t'aussi ben d'oublier ça, j'sais pas pourquoi j't'ai conté ça, c'est niaiseux... Dors... couche-toi pis asseye de dormir. J'vas faire pareil avec. Bonne nuit, là.

> *Un long temps. Roland s'agite, tourne, ne trouve pas le sommeil. La première lueur qui revient, c'est Roland qui s'allume une cigarette dans le noir. Roland fume. Dans le presque noir, on entend la voix timide de Christine.*

CHRISTINE

P-p-pap...p-papa...

ROLAND

Han? Tu dors pas, toi? Tu m'as fait peur... Qué cé qu'y a? T'es t'encore malade?

CHRISTINE

Est-ce que j'suis trop p-p-pe...p-pesante p-p-pour...

> *Roland allume brusquement la lampe de chevet. Immédiatement, Christine se tait et se protège instinctivement le*

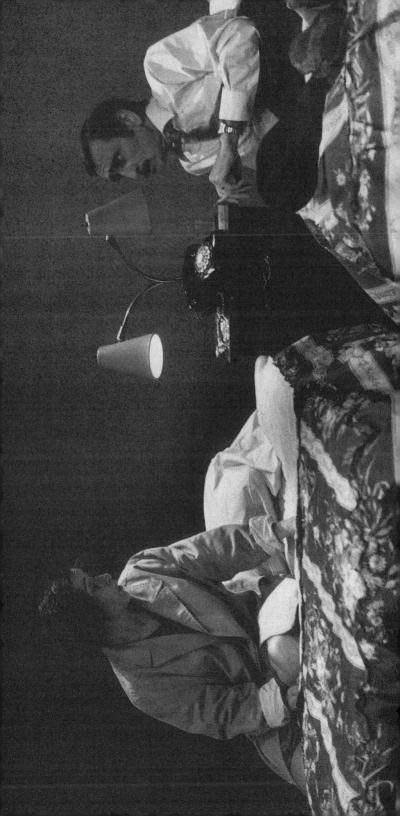

visage avec ses mains. C'est plus fort qu'elle. Roland la regarde, surpris. Il l'interrompt.

ROLAND

Cout don, toi, c'tu parce que t'es gênée qu'tu bégayes de même? Je l'avais ben dit! c'est toujours c'que j'ai dit! *(Il va éteindre sa cigarette.)* Y a pas un batinse de spécialiste qui a jamais voulu m'croire! C'tait ben qu'trop simple pour eux aut', y auraient pas pu faire d'l'argent avec moi plus longtemps... Quand j'pense qu'on s'laisse faire par du monde de même qui nous exploitent, qui nous font accroire n'importe quoi pour qu'on continue d'payer. Ça pas donné grand-chose, han, toutes ces histoires de conseiller-là... Ça rien qu'réussi à rendre maman folle. Tu bégayes encore, pis j'cré ben qu't'es partie pour parler d'même un bon bout d'temps. Dire que t'as commencé à parler si vite. À deux ans, tu faisais tes phrases, tu disais c'que tu voulais, pas une hésitation, rien. Maman a encore des photos! C'est à l'école qu'y t'ont déformée, y ont dû t'gêner, là, t'faire parler devant tout l'monde, pis tu t'es mis à bégayer... Mais t'as pas besoin d't'en faire, ça l'air que ça l'a rien à voir avec l'intelligence. Quequ'un peut être ben intelligent pis bégayer: pas d'rapport qu'y ont dit. Si tu pouvais t'rentrer ça dans tête, chus sûr que t'arrêterais du coup: pis y a pas à dire, han, t'aurais tu-suite l'air plus vite! J'veux pas dire que tu l'es pas, là, comprends-moi bien, j'veux jusse parler de quoi ça d'l'air. Le monde se fie là-dessus, tu comprends. Faut pas trop leur en d'mander au monde: eux aut' y s'fient sus c'qu'y voyent pis qu'y entendent. Qué cé qu'tu veux, des fois, on n'a pas le choix. Prenons pour exemple quand y faut

qu'j'engage quequ'un pour le magasin: faut ben
que j'me fie sus queque chose, faut ben qu'j'exa-
mine mon candidat sus d'quoi! Pis qué cé qui va
compter l'plusse? Son allure générale! C'est sûr
que si y louche, si y bégaye, si y a un p'tit défaut
d'même, ça joue contre lui. Pas parce qu'y est pas
fin, là, ni pas intelligent, nous aut', on sait pas ça,
pis on n'a pas l'temps d'faire enquête. Non, la
présentation du candidat, c'est là-dessus que
j'me fie quand j'engage... *(Il la regarde. Un
temps.)* J'me sus souvent demandé c'que j'ferais
si une fille comme toi se présentait pour tra-
vailler chez nous. J'pensais, là, sans préjugé, si
t'étais pas ma fille, rien. Mettons j'te connaîtrais
pas. Ben tu-suite t'as ton handicap de langage.
Parce que vois-tu, tu présentes bien, pas une
beauté, là, mais c'pas une agence de mannequins
qu'on tient. Non, t'es jolie. Un peu maigrichon-
ne, mais c't'à mode, cé qu'tu veux. Non, la seule
chose qui me r'tiendrait d't'engager, ça serait ta
manière de parler. Honnêtement, vu de l'extérieur, quand j'me place objectif, c'est sûr et
certain que j'pourrais pas t'engager d'même.
J'dis pas que je l'ferais de gaîté d'cœur, là, mais
tu peux pas postuler un emploi dans l'public. Ça,
c't'une ouverture qui est fermée pour toi, tant et
aussi longtemps que tu vas souffrir de ton
handicap. C'pas pour rien que j'ai tellement
insisté pour te l'faire perdre. Ça attaque ton
avenir, ça. Pis ton avenir, c'est important. Surtout
asteure. *(Il a un sourire rassurant.)* Mais inquiète-toi pas avec ça, ma Cri-Cri, on s'arrangera
ben pour te trouver d'quoi, on va chercher pis on
va finir par trouver. J'ai des amis, des contacts un
peu partout, même en période de crise, j'vas
t'trouver une job de même! Tu peux t'compter
chanceuse d'avoir des parents responsables ma

Cri-Cri. J'dis pas ça pour avoir des remercie-
ments, là, c'pas ça, mais combien on en voit de
jeunes qui tombent dans drogue parce qu'y sont
laissés à eux-mêmes... ben nous aut', on n'est pas
des lâcheux, on a pris nos responsabilités, on a
faite toute c'qu'on pouvait pour toi, pis on va
l'faire encore, même si on n'est pas obligés. C'pas
parce que t'es majeure qu'on va t'laisser tomber.
On n'est pas des sans-cœur. Y a une chose que
tu peux être sûre : tu peux toujours avoir confiance que tes parents vont faire leur devoir vis-à-
vis toi. C'pas si fréquent, tu sauras me l'dire...
Non, maman pis moi, on a une règle : si tu fais
des enfants, occupe-toi-z-en, arrange-toi pour
qu'y manquent de rien. On fait pas des enfants
pour les laisser dans misère. Aussi ben laisser
faire.

> *Il se lève, prend son verre sur la table,*
> *va le remplir dans la salle de bains,*
> *revient.*

ROLAND

Ça va p'tête m'aider à dormir, han?

> *Un temps. Il la regarde, pensif.*

ROLAND

Ouain... j'me d'mande c'qu'on va faire de toi, ma
Cri-Cri. C'pas rien, han, mais t'as toute une vie
devant toi. Y t'en resse un maudit boutte à faire.
J'pensais ben pourtant qu'on t'avait équipée
pour que t'en fasses un peu tu-seule. Tu vois, Cri-
Cri, tu vois aussi, si t'avais voulu finir ton cégep
avant d'te marier, comme j'te l'disais, tu serais
ben moins mal pris à l'heure qu'il est. Mais non :
t'étais pressée, t'étais don pressée d'aller t'tirer

din bras de c'te bum-là. Dix-neuf ans, c'est trop jeune pour se marier, ben qu'trop jeune. Moi, j'me sus p'tête marié sus l'tard, mais toi Cri-Cri, tu t'es mariée trop jeune. Trop jeune pis, excuse-moi de l'dire, mais avec un bel imbécile. Je l'sais, je l'sais, on a dit qu'on n'en parlerait pas. J'en parlerai pus. J'vas t'dire rien qu'une chose là-dessus : pense pas que j'vas juger de t'ça, mais pense pas non plus que j'mets toutes les torts de son bord à lui. Un couple c't'un couple : si y a du mal qui s'fait à l'intérieur du couple, c'est ben rare qu'y en a rien qu'un d'responsable. C'est toute c'que j'ai à dire là-dessus. Pis dis-toi ben, Cri-Cri, que c'pas moi qui va juger de t'ça. Mais j'espère que ça va t'apprendre qu'on s'tire pas dans l'mariage comme ça sans réfléchir, sans peser le pour et le contre. J'ai rien dit à l'époque parce que j'voulais t'laisser libre, parce que c'tait ton choix, mais c'gars-là, moi, je l'aurais pas engagé chez nous. Si y s'tait présenté devant moi pour avoir un emploi, ç'aurait été non. Pis pourtant, y présente pas si mal. Mais ç'aurait été non. Te dire pourquoi, là, des raisons ben précises, j'pourrais pas. Un homme, ça s'juge pas pareil, faut s'méfier. Moi, avec un homme, j'me fie à mon impression générale. D'une certaine manière, une femme c'est plus facile à engager. Les critères sont plus précis, c'est plus facile à cerner. Mais un homme, j'trouve toujours ça plus dur, plus compliqué d'savoir. Tu vois, j'vas t'dire en toute honnêteté que j'pense que j'pourrais plusse me tromper sus un candidat gars. J'en engage moins aussi. J'aurais tendance à m'méfier plusse d'un gars. Une femme, j'sais tu-suite à qui j'ai affaire, si c't'une tête folle ou non, j'sais tu-suite si j'vas pouvoir l'influencer, pis avoir une sorte de contrôle sus mon personnel. Mais un homme, c'est déjà plus dur. Difficile à «sizer». En partant, y reconnaissent moins ton autorité, y ont tendance à vouloir t'en montrer, à t'en mettre plein a face, comme on dit. Moi, ça me choque. J'aime autant quequ'un qui fait pas semblant de connaître la job avant de l'avoir faite. J'aime autant une sorte d'humilité. Mais une vraie par exemple. Pas des menteries pis du fafinage pour finir par avoir la job. Ça, les menteurs pis les menteuses, j'ai un flair épouvantable pour ça : j'peux t'jurer qu'y en a pas gros qui sont rentrés chez nous. Pis si y y sont encore, c'est signe qu'y sont moins menteurs qu'y pensent. *(Il finit son verre d'un trait.)* Encore un p'tit, pis on dort. J't'en offre pas, han, tu comprends ça.

> *Il va remplir son verre dans les toilettes et revient. Christine s'allume une ci-garette, nerveuse.*

ROLAND

T'as pas besoin d't'inquiéter, han, j'sais exactement où j'en suis. J'avoue que j'bois un peu plusse ce soir, mais tu m'verras pas raide saoul, inquiète-toi pas...

> *Il s'assoit sur le côté de son lit, tourné vers elle. Le seul indice de son état peut être un ralentissement du débit, une sorte d'appui sur certains mots, certains concepts et, bien sûr, la franchise plus grande de ses propos.*

ROLAND

Mettons qu'ça m'donne d'la jasette... pis j'aime autant jaser avec toi qu'avec maman. Avec toi au moins, chus sûr que j'en n'entendrai pus parler après. C'pas toi qui vas me r'sortir c'que j'ai dit comme des pièces à conviction dans un mois. Non, toi, c'est comme si t'entendais pas. Maman est ben fine, mais quand a réussit à m'tirer un aveu, a s'en sert longtemps en batinse! J'sais pas pourquoi c'qu'a fait ça. On dirait qu'a l'aime ça, qu'y y faut queque chose à se r'procher. Un peu comme si y fallait qu'a l'entretienne le remords. Moi, le remords, j'connais pas ça, pis j'y tiens pas plusse qu'y faut. J'laisse ça à maman. *(Un temps. Il rit doucement.)* Depuis queque temps, j'sais pas c'qu'a l'a, est partie sus l'sexe. A s'est mis dans tête que ça m'manquait, qu'a l'avait pas été une bonne épouse pour moi, que j'aurais si ben pu aller voir ailleurs, toutes sortes de niaiseries d'même. Ça doit être son retour d'âge qui la fait parler d'même... Parce que moi, j'ai rien dit pis rien faite qui peut la faire parler d'même... Tu sais qu'maman après toi, a pouvait pus avoir d'enfant. En té cas, le docteur avait dit que ça serait plus prudent pour elle de pas en avoir. Moi, j'ai compris ça, pis à partir de c'moment-là... heu... on, heu... on n'a pus touché à rien de t'ça. J'dis pas que j'y ai pas pensé à l'occasion, mais ça fait un bout de temps qu'ça m'a pas passé par la tête. Faut dire que j'passe mes cinquante ans aussi... Pis, j'vas t'dire, j'trouve ça plus intéressant quand ça resse dans tête. Moi, j'trouve que les gens manquent d'imagination finalement. On n'a pas tant besoin d'sexe que ça dans vie. J'veux dire de sexe réel, là, de toucher pour vrai. Moi, chus t'un pur. J'y pense en masse, c'est sûr, j'ai toutes sortes d'idées, mais j'touche pas à ça. Moi, j'comprends pas ça un homme qui paye une femme pour coucher avec. J'aimerais ben mieux rien qu'la regarder. J'la r'garderais marcher, faire ses affaires, pis j'la garderais dans ma tête, pis l'resse, ben, ça r'garde rien qu'moi. J'ai beaucoup de respect pour les femmes: c'pas moi qui les toucherais, les maltraiterais, les violerais. Non, j's'rais plutôt l'genre protecteur. J'aime pas qu'on touche une femme, n'importe comment, j'aime pas ça. Faut dire qu'j'aime pas qu'on m'touche non plus. Non, j'aime autant r'garder, rêver comme on dit, j'irai jamais plus loin. Une aut' sorte de contrôle, j'imagine. *(Un temps.)* C'est drôle, y a une jeune fille chez nous, au magasin, très jeune, là, l'air d'un vrai bebé, j'aimais ça la regarder plier les chandails sus son comptoir. A l'avait de très beaux gestes, une manière très particulière... j'y ai souvent pensé. Ben a s'est imaginé que j'y courais après. A s'est mis à être fine, à vouloir me faire des sourires, toute. Ben ça l'a été fini, a l'a toute faite tomber, rien à faire. Ça marchait pus, j'pouvais pus penser à elle. A l'avait brisé l'image. A l'avait comme perdu son... son innocence que j'dirais. Comme dans l'film, là... *Bilitis.* J'avais jamais rien vu d'aussi beau. J'y aurais jamais touché non plus. Toute c'que j'aimais r'garder était dans c'film-là... Laisse-moi t'dire que ces images-là ont viré dans ma tête un maudit bout d'temps. *(Un temps. Il rit, gêné.)* Par chance que ton père est pas un aventurier, un coureur de jupons, parce que j'pense ben que j'te l'aurais dit à soir. Comme tu vois, j'peux même te faire des confidences sus ma vie sexuelle: y a rien là, comme y disent... rien pour scandaliser une fille de vingt ans. *(Il mâchouille une ciga-rette.)* Hé que j'fumerais, là... J'vas t'dire une affaire, ma Cri-Cri. J'vas t'faire un compliment. Pis pas rien qu'parce que j'ai dépassé ma barre, là, non, non. J'vas te l'dire parce que j'pense que ça va t'encourager, que t'as besoin de te l'faire dire après c'qui vient d't'arriver.

D'un ton très sensuel, très troublant,
pas «paternel» pour deux cennes.

ROLAND

J'ai toujours un image de toi dans ma tête, quand t'avais dix-onze ans. Tu peux pas savoir comme t'étais belle à c't'âge-là. C'pas mêlant, j'me fatiquais pas de te r'garder. T'étais plus blonde, plus pâle qu'asteure, presque pas brune, pis frisée, une vraie p'tite face d'ange. Pis tu commençais à t'former un peu... t'as été d'bonne heure là-d'sus. T'as grandi d'un coup, d'une traite, ton cou était fin, fin, pis ta belle tite tête avec tes cheveux blonds presque, pis ton petit air sérieux, pis tes p'tits seins qui commençaient à piquer... j'avais jamais rien vu d'plus beau. J't'avais jamais trouvée belle de même. Ouain, y a eu un matin qu'j'ai dit à maman que t'étais déjà une belle jeune fille. J'pouvais pas croire que tu venais de maman. J'pouvais pas croire que, toué jours, chez nous, dans maison, y avait c'beauté-là que j'pouvais regarder. Toi, tu t'en rendais pas compte, mais j'te r'gardais... c'tait ben avant que j'voye le film, là... *Bilitis...* ben t'as été ma première Bilitis. J'ai jamais été aussi fier de toi. Dans c'temps-là, pour rien au monde j'aurais voulu t'changer pour un garçon. Tu m'aurais d'mandé n'importe quoi, tu l'aurais eu. Par chance que tu t'en doutais pas, han, t'en aurais ben profité. Ouain, l'année d'tes onze ans, c't'encore à ça que j'pense quand j'pense à toi. Ma belle tite fille de onze ans. Jamais j'aurais voulu que l'temps passe, que ça change. J't'aurais jusse r'gardée, là, sans parler, sans t'toucher, jusse te voir de même, ç'aurait faite mon bonheur. Pis on peut dire que ça l'a faite. Maman était toute contente que j'te r'marque, que j'soye

fier de toi. Pis pour être fier, j'tais fier. Un p'tit
ange, un p'tit ange pur, intouchable, c'est ça
qu't'étais, ma Cri-Cri... *(Un temps. Aigri.)* C'est ça
qu't'étais jusse avant d'tomber malade, pis
d'maigrir comme t'as maigri. Eh batinse, on peut
dire que tu nous as faite peur avec ça! On n'était
pas loin d'penser qu'on allait t'perdre. Maigre...
mais maigre... pis têtue, mauvaise, à pas vouloir
manger de rien de ce que maman faisait, à bou-
der, à t'enfermer pis vomir comme t'à l'heure...
T'es jamais r'venue aussi belle qu'avant, j'ai pus
jamais r'vu ma fille à moi, mon p'tit ange pur,
ma Cri-Cri intouchable. T'as passé trop d'temps
malade, ça été long avant qu'tu soyes correque...
mais au moins, t'es r'venue en santé. Pas forte,
forte, mais en santé. T'avais perdu ton air
d'enfant. C'est sûr, han... *(Un temps.)* Quand t'es
sortie d'l'hôpital, quand j't'ai revue chez nous,
j'peux ben te l'dire asteure que t'es correque,
j'tais pas capable de te r'garder. Pas capable, j'te
mens pas. C'tait plus fort que moi... Tu ressem-
blais aux photos du Biafra dans l'temps, tu sais?
Pis tes yeux, tes yeux on aurait dit qu'y prenaient
toute la place dans ta face. Pis c'taient des yeux...
j'sais pas, c'pas disable... des yeux de vieux, non,
heu... des yeux terribles. J'pouvais pas te r'garder,
j'tais pas capable, ça m'rendait malade. Moi, j'me
souvenais de toi à onze ans, pis j'te r'gardais, là,
à quinze... c'pas mêlant on aurait dit qu'y
t'avaient battue à l'hôpital. T'as l'air mieux aujourd'hui que dans c'temps-là, c'pour dire han...
Non, jamais j'oublierai ça, c'est comme si on
m'avait enlevé mon rêve, enlevé ma fille. Pis les
spécialistes ont dit qu'on t'aimait pas assez! Si
moi j't'aimais pas, j'me d'mande ben c'que ça
leur prenait, j'voudrais ben qu'quequ'un vienne
m'expliquer c'est quoi, d'abord, l'amour... si

j't'aimais... j'ai failli virer fou avec c't'histoire-là, avec tes yeux pis ta maladie, pis comment t'es revenue. Maman, elle, c'est pendant ta maladie qu'a l'a failli virer folle. Moi, personne l'a su, mais c'est après, quand t'es revenue pis que t'étais pus toi. Là, j'cré ben que si y a queque chose qui aurait pu m'faire tomber dans l'alcool, c'aurait été ça. C'te déception-là, c'est comme si j'm'en remettais pas. J'pouvais pas prendre le dessus. *(Un temps.)* Pas comme l'autre. Tu vois si c'est fou, y a deux affaires, deux déceptions seulement que j'ai vraiment eues pis qui auraient pu être dangereuses pour moi: pis les deux fois, j'ai perdu queque chose. La première fois, c'est quand maman a perdu mon gars. Était enceinte de cinq mois pis a l'a faite une fausse-couche. On sait pas pourquoi, une affaire de constitution qu'y ont dit. Moi j'dis qu'maman aurait pas dû s'serrer comme a faisait dans son corset. C'est sûr qu'enceinte a l'était plus grosse, mais c'est normal, han? En té cas, je l'ai perdu mon p'tit gars. Y s'appelait Christophe. Je l'ai faite baptiser pis enterrer. Ça s'faisait pas beaucoup, mais pour moi, c'tait important. C'tait mon fils. Les médecins ont dit qu'y étaient même pas sûrs du sexe, mais moi, ça faisait cinq mois que je l'attendais, c't'enfant-là, pis j'savais que c'tait un gars. Le premier, l'aîné. Me semble que j'aurais su l'prendre, y parler en homme, faire de quoi avec lui, y construire un avenir... mais non... Un an après, c'est toi qui es née. On t'a appelée Christine en souvenir de lui, pis malgré toute, on t'a aimée. Y a pas un maudit spécialiste qui va m'faire dire el contraire. J'me souviens d'toi à onze ans, pis chus encore rempli d'tendresse pour la petite fille que t'étais. J'tais pas tout l'temps à te l'dire, c'est sûr, j'tais pas toujours en déclaration d'amour, mais j'te r'gardais pis tu devais ben sentir que j't'aimais. Mais j'ai perdu ma belle tite fille aussi... J'ai rêvé à deux choses dans ma vie : à mon fils pis à ma p'tite fille de onze ans. Ben tu vois, les deux fois, ça a manqué de m'faire tomber dans boisson tellement j'ai été déçu. J'ai fini par comprendre, j'ai compris que c'est mieux de pas rêver. Faut s'contenter de c'qu'on a pis dire merci.

> *Un temps, il la regarde, découragé, fatigué.*

ROLAND

Pis j'ai une grande fille, han Cri-Cri ? J't'ai pas lâchée, comme tu vois. T'as même pas eu besoin de m'appeler, pis chus allé t'chercher. Tu peux avoir confiance en moi, j'te laisserai jamais vivre avec du monde qui te brutalise, du monde qui te font du mal. Faudrait qu't'apprennes à t'défendre un peu, à pas t'laisser faire de même. Parce que, tu sais, j's'rai p'tête pas toujours là pour te protéger. Han, ma Cri-Cri ? Mais on en r'parlera demain dans l'auto. Là, y faut s'coucher pis dormir. T'es correque ? T'as pas mal au cœur ?

> *Elle hoche doucement la tête. Il ne la voit pas.*

ROLAND

De toute façon, c'pas avec c'que t'as mangé que tu peux vomir toute la nuit, han ? C'est fini, là, couche-toi pis dors. Mmm ? Bonne nuit.

> *Christine se berce avec une plainte sourde. Elle se berce de plus en plus fort. Elle tombe sur ses genoux. Puis*

elle se lève et va à la porte de la salle de bains.

La porte de la salle de bains est entrouverte. Sur l'extérieur de la porte il y a un grand miroir. Christine se regarde. Attentivement. Sans bouger. Elle est devant son image et se regarde comme si elle se voyait pour la première fois. Elle ne se touche pas, elle est totalement immobile. Puis, elle se met à frapper son corps violemment. Elle frappe, frappe sur elle, puis sur le miroir, sur son image. Puis, elle prend la poignée de la porte et, en tirant dessus, elle se cogne le front contre le miroir, régulièrement. Puis de plus en plus fort. En pleurant, presque hypnotisée, avec un rythme régulier et un désespoir profond. Roland se réveille en sursaut.

ROLAND

Han!... Qué cé... Cri-Cri! Es-tu malade?

Il se lève, hagard, et comprend ce que Christine fait.

ROLAND

Es-tu folle, toi, batinse? Es-tu malade?

Il la saisit brutalement et la tire dans la chambre.

ROLAND

Mais qué cé qu't'as dans tête pour faire des niaiseries d'même, han? Qué cé qui t'prend? Tu n'as pas eu assez? C'est ça? Y t'a pas assez fessée? Faut qu'tu continues? Faut qu't'en rajoutes? Va-tu falloir te faire enfermer pour que tu soyes raisonnable? Va-tu falloir te faire enfermer? Batinse!

Il claque la porte de la salle de bains. Christine se tient debout, près de la porte de sortie, terrorisée. Très en colère, il essaie de prendre sur lui. Il peut à peine la regarder.

ROLAND

Écoute, Cri-Cri... j'veux ben croire que t'as passé par des bouttes durs, chus prêt à comprendre que t'es fatiquée, que t'as d'la peine, que tu r'grettes peut-être d'être partie d'chez ton mari, même si c'est quequ'un qui t'traitait mal, chus prêt à en comprendre pas mal... mais va falloir que tu soyes capable de comprendre que j'peux pas t'surveiller tout l'temps. T'as pus deux ans, là. Pis nous aut', on n'est pus jeunes, jeunes... Va p'tête falloir que tu t'occupes de maman plusse que tu penses. Est pas si en santé qu'ça. A sera pas capable de toffer une fille qui fait des folies d'même, certain. Pis qui vomit à longueur de journée non plus. Y a un boutte à tout l'temps d'mander sans jamais rien donner, han ma Cri-Cri? Va falloir que tu grandisses un peu, sans ça, j'sais pas c'qu'on va pouvoir faire de toi. On te gardera pas dans maison à faire du train pis à salir partout... maman a pus a santé pour ça. Pis chus pas sûr pantoute d'avoir encore c'te patience-là. Han? On s'comprend, là? Faut qu'tu soyes raisonnable, pis qu'tu montres un peu d'bonne volonté, parce que nous aut', là, on n'a pus l'âge d'endurer ça. Fais a bonne fille, là... asseye de comprendre ça.

Christine recommence à se cogner la tête, mais par-derrière, sur le mur ou la porte. Elle ferme les yeux et cogne, cogne, comme pour faire éclater sa tête, sa douleur. Son père se précipite sur elle et l'empoigne pour l'éloigner du mur, très brutalement. Puis, rapidement, il prend son sac, son manteau dans la garde-robe, puis la saisit par le bras.

ROLAND

Envoye, viens-t'en, on s'en va!

Elle dégage son bras et recule.

CHRISTINE

Non!

ROLAND

J'ai dit: on s'en va!

Christine est terrorisée. Elle recule encore vers la porte de la salle de bains. Elle hoche la tête rythmiquement et dit à chaque hochement:

CHRISTINE

Non... non... non...

ROLAND

(Hors de lui, il hurle.) J't'amène pas à l'asile, j't'amène chez nous! As-tu compris? À MAISON!

CHRISTINE

(Folle de peur, elle hurle aussi.) NON!

ROLAND

Ma maudite folle, toi...

> *Il laisse tomber son sac, son manteau
> et marche vers elle, très décidé. Chris-
> tine se replie sur la salle de bains, elle
> ferme la porte. Il se précipite sur la
> poignée qu'il secoue violemment.*

ROLAND

Sors, pis vite! Sors ou ben j'défonce!

> *Il secoue la poignée et d'un coup sec
> ouvre la porte. Aussitôt, on entend le
> bruit d'une bouteille qui casse sur le
> bord d'un lavabo. Roland est immo-
> bile, sidéré. Il recule vers la chambre.*

ROLAND

Touche pas à ça... touche pas à ça... touche pas...

> *Christine sort de la salle de bains en
> sanglotant, la bouteille de gin cassée
> dans les mains. Elle s'en sert comme
> d'une arme, mais on ne sait pas encore
> si elle est offensive ou si c'est pour elle.
> Elle tient son père à distance. Elle
> murmure dans ses sanglots tout en
> faisant toujours non de la tête, comme
> dépassée par l'horreur.*

CHRISTINE

J'veux pas m'tuer... j'veux pas m'tuer... j'veux pas
m'tuer...

> *Comme si elle essayait de se sortir d'un
> dilemme, en répétant ces mots-là.*

> *Roland, la voyant immobile, s'approche d'elle doucement. Il tend la main vers elle et lui parle doucement, comme à une folle... Il a très peur.*

ROLAND

Donne, Cri-Cri... donne à papa... donne à papa, fais a bonne fille, là...

> *Brusquement, elle le regarde et lui donne un violent coup de bouteille sur le bras, manquant sa main. Elle se jette sur lui et lacère ses yeux de coups avec une force terrible. Ils tombent entre les deux lits, elle sur lui. Elle frappe sans arrêt, dégageant le bras à chaque coup qu'elle donne, comme pour prendre de la force dans un élan. À chaque coup, du premier à la fin, elle hurle :*

CHRISTINE

Tu veux m'tuer !... Tu veux m'tuer !... Tu veux m'tuer !... Tu veux m'tuer !... Tu veux m'tuer !...

> *À bout de forces, elle s'effondre sur lui, pleurant toujours, les mains pleines de sang.*
>
> *L'éclairage baisse.*

FIN

ÉVA ET ÉVELYNE

À Lise Laberge.

Éva et Évelyne
de Marie Laberge
a été créée à Québec
le mercredi 10 janvier 1979
au Théâtre du Vieux Québec
dans une mise en scène de Marie Laberge
des décors et des costumes de Réal Sasseville.

Distribution

Ginette Guay   *Éva*
Pierrette Robitaille   *Évelyne*

Les personnages

Éva — *67 ans.*

Retraitée. Anciennement maîtresse de poste au village.

Évelyne — *64 ans.*

A toujours tenu maison.

Le décor

Une galerie à la campagne. Deux chaises ber-
çantes usées et confortables. C'est la vieille ga-
lerie d'une vieille maison.

Éva se berce sur la galerie. Le nom d'Évelyne se prononce «Évélyne».

ÉVELYNE

(Voix off.) Éva... la fraîche est tombée, là, t'as-tu mis ta vesse de laine?...

> *Pas de réponse, Éva a l'air plongée dans ses pensées.*

ÉVELYNE

Éva... j'te parle... veux-tu j't'apporte un lainage?... *(On entend Évelyne se presser en bougonnant.)* Mais veux-tu ben m'dire... où c'est qu'est allée d'même? *(Arrivée d'Évelyne sur la galerie. Elle crie.)* Éva, t'es-tu sourde, toi, t'es-tu en train d'me faire une attaque, là? Pour l'amour réponds-moi!

ÉVA

Bon, qué cé qu'y a encôr? Veux-tu arrêter d'crier d'même, c'est rendu qu'on s'entend pus penser ici d'dans. Qué cé qu't'as à t'énarver d'même, là, el feu est-tu pris?

ÉVELYNE

Bon, c'est ça, c'est moi qui m'énarve asteure! Si t'étais pas sourde comme un pote, j's'rais pas obligée d'crier... c'est rendu que j'me parle tu-seule...

ÉVA

Y a rien d'nouveau là-d'dans, tu t'es toujours parlé tu-seule, j'me souviens pas d'toi autrement qu'en train d'parler: qu'y aye quequ'un ou non pour t'écouter, t'as pas coutume d'être r'gardante.

ÉVELYNE

Mon dieu, t'es ben pas d'adon toi, à soir? Qué cé qu't'as? J't'ai-tu faite de quoi, y avait-tu trop d'poivre dans l'souper?

ÉVA

Ben non, ben non, Évelyne, occupe-toi pas d'moi, j'bourrasse, là.

ÉVELYNE

(S'assit.) J'te dis qu'des fois, tu m'fais penser à pâpâ, toi. Même maniére que lui d'pas avoir de maniéres! Y m'a-tu inquiétée, lui, avec ses réponses plates! Toujours comme si c'tait assis sus un paquet d'chardon! Din fois, c'est ben simple, j'ai l'impression qu'tu vas te r'virer ben sec, comme y faisait, pis qu'tu vas m'dire: «Maudit tornor, Évelyne, vas-tu m'saprer patience?»... Eh, qu'y m'faisait-y peur quand y m'parlait d'même! J'te dis que j'prenais l'bord d'la cuisine, c'tait pas long. Ça s'adonnait qu'j'avais pus rien à dire d'la journée.

ÉVA

Ma pauv' Évelyne! Toujours en train d'avoir peur de quequ'un. Qué cé qu'tu vas faire quand j's'rai pus là, de qui c'est qu'tu vas avoir peur? Des fantômes?...

ÉVELYNE

Arrête-donc d'dire des niaiseries! On rit pas avec
ça... Ouais, ben c'est frisquette! J'vas aller m'charcher une p'tite vesse de laine, moi. Es-tu sûre
qu'tu veux pas rentrer? C'est pas mal humide...

ÉVA

Évelyne, rentre en d'dans si tu veux pis énarve-
toi pas pour moi. J'te dis qu'toi, depuis qu'pâpâ
est mort, tu t'charches d'l'ouvrage... T'as de la
misère à changer d'habitude, han? Pour ben
faire, y aurait fallu que j'tombe malade le
lend'main d'la mort de pâpâ: toute s'rait resté
pareil. Pars-toi donc un tricot, là, ça va t'changer
é-z-idées.

ÉVELYNE

J'ai pas besoin d'tes conseils, *j'en ai un*, tricot, pis
j'vas aller l'charcher... En veux-tu une, vesse de
laine?... R'marque que j'veux pas t'forcer...

ÉVA

Ben oui, ben oui,... c'est vrai qu'c'est moins
chaud qu't'à l'heure... *(Sortie d'Évelyne.)* Pauv'
Évelyne, toujours en train d'prendre soin d'quèqu'un.

> *Évelyne revient; veste de laine en main,*
> *tricot, etc. Elle laisse claquer la porte,*
> *une porte d'été, en bois, avec un grand*
> *moustiquaire, qui fait un petit son sec*
> *quand elle claque. Bruits de grillons et*
> *coassements de grenouilles. Silence.*
> *Évelyne met la veste à Éva, s'assoit et*
> *tricote en se berçant.*

ÉVA

T'entends-tu les grillons?

ÉVELYNE

Oui... signe de beau temps... pourtant, j'me r'ssens d'mon rhumatime, y pleuv'rait qu'ça m'étonnerait pas. Une bonne pluie, ça f'rait pas d'tort aux fraises, monsieur Duquette m'en parlait justement à matin...

ÉVA

Qué cé qu'tu connais din fraises, toi, veux-tu ben m'dire?

ÉVELYNE

Mon dieu, on parlait, on parlait... on a parlé des fraises! Pas besoin d'être jardinier professionnel pour avoir le droit d'parler des fraises, m'semble. J'parle ben du sirop d'érable au printemps, j'vois pas pourquoi j'parlerais pas des fraises à l'été.

ÉVA

Bon, bon, excuse-moi.

> *Silence. Bruit des grillons et des broches à tricoter.*

ÉVA

Évelyne... t'as-tu j'té la gazette d'aujourd'hui?

ÉVELYNE

Ben... j'pense que j'ai épluché mes patates dessus.... Pourquoi? Y avait-tu quèqu'un qu'on connaît qui est mort?

ÉVA

Mon dieu, non, j'pense pas... Tu r'gardes encore ça, toi? Moi je r'garde pus, on est les deux darnières sus a liste du monde qu'on connaît, c'pas mêlant: on les a toutes enterrés... Non, moi, y a trente ans, j'ai arrêté de r'garder qui c'est qui s'mariait, dix ans plus tard, j'lâchais la colonne des naissances, pis c'est rendu que j'lis pus celle des décès. Qué cé qu'tu veux, Évelyne, j'cré ben qu'on a faite el tour d'la vie de ceux qu'on connaissait. De toute façon, de nos jours, y donnent pus les mariages pis les naissances: ça adonne ben, r'marque, on est jusse bonnes pour la colonne qui reste: celle des décès!

ÉVELYNE

J'te dis qu't'es gaie à soir, Éva... Ben si y a rien qui t'intéresse dedans, qué cé qu't'as tant besoin de l'avoir, la gazette?

ÉVA

Ah!... un article, là, qu'j'avais pas fini d'lire... pas important.

ÉVELYNE

(Se lève.) Veux-tu qu'j'aille voir si y est dans les pages qui restent?

ÉVA

Non, non, ça presse pas, veux-tu ben rester assis, là...

ÉVELYNE

(Se rassoit.) Bon, bon, moi... c'tait pour toi...

Silence.

ÉVA

Évelyne,... te rends-tu compte qu'on a passé not'
vie assis sus c'te galerie-là?

ÉVELYNE

(Souriante.) Ben oui... depuis qu'on est p'tites...
on a joué à mére sus c'te galerie-là, on a faite nos
devoirs icitte...

ÉVA

Te rends-tu compte qu'on n'a pas bougé de c'te
place-là depuis qu'on est nées? Quand j'pense
comment c'que l'monde est grand... pis nous
aut' on n'a pas été plus loin qu'chez monsieur
Santerre pour ach'ter du beûrre. Quand on va
mourir, Évelyne, y pourront mettre sus a pierre:
«N'a pas bougé de son jardin, n'a rien vu d'autre
que le bout de son nez.»

ÉVELYNE

Ben que j'les voye! *(Un temps.)* As-tu encore des
projets d'voyages, là, toi? J'sais pas c'que t'as,
mais depuis quèque temps, ça a l'air de t'énarver
qu'on reste ici ben tranquilles. On dirait qu't'as
la bougeotte... à nos âges, franchement...

ÉVA

Ouais, je l'sais, à nos âges... *(Silence.)* Évelyne, tu
sais, la gazette, là, ben, y avait une annonce
dedans... t'as-tu vu?

ÉVELYNE

Ben, une annonce, là, y en avait pas mal... ben
difficile de m'souvenir de laquelle tu veux dire...

ÉVA

Pas une annonce de magasin, là, Évelyne, une annonce, là, j'veux dire un concours, un «concours ouvert à tous», là.

ÉVELYNE

Me souviens pas... c'tait-tu intéressant? Tu voulais-tu envoyer ton nom?

ÉVA

C'pas un concours de même, Évelyne, c't'un concours oùsqu'y faut faire de quoi: y faut raconter une histoire, pis c'est la meilleure histoire qui gagne.

ÉVELYNE

Ah oui! ça m'dit d'quoi, là. Ben oui, mais... c'est pas des histoires d'amour qu'y fallait conter?

ÉVA

(Sec.) Ben oui, c'est ça.

ÉVELYNE

(Après un grand silence, surprise.) Pis ça t'intéresse?

ÉVA

Mon dieu, r'viens-en, Évelyne! Ça m'a faite penser à des afféres, c'est toute. Y avaient l'air de dire que tout l'monde a des histoires d'amour dans leu vie, pis que tout l'monde a des afféres de cœur à conter: c'pas facile à conter des afféres de cœur, pis c'pas donné à tout l'monde d'en avoir...

ÉVELYNE

Ben non, mais c'est la tévé qui fait ça. C'est toujours des histoires d'amour, ça fait qu'on fenit par penser qu'ça arrive à tout l'monde toué jours.

ÉVA

Évelyne... heu... toi, là... t'as-tu déjà embrassé quèqu'un dans ta vie? Embrassé pour de vrai, là.

ÉVELYNE

Mon dieu, Éva, qué cé qui t'prend de m'demander des afféres de même?

ÉVA

Ben m'a t'dire, Évelyne, des fois j'pense à vie qu'on a faite toué deux, icitte, avec pâpâ pis maman, moi au bureau d'poste, toi à maison, pis j'pense que parsonne nous a jamais touchées nous aut', parsonne nous a jamais pris dans leu bras, jamais embrassées...

ÉVELYNE

Ben voyons, Éva...

ÉVA

Y pas d'voyons, Éva! Des fois, quand j'pense qu'y a du monde qui parle à un homme dans leu lit l'soir, avant d's'endormir, quand j'asseye d'imaginer c'que ça m'f'rait, là, ben chus pas capable de trouver ça aussi épeurant pis aussi déplaisant que c'que maman nous en disait. Pis pour être franche, Évelyne, y a des afféres que je r'grette : j'aurais eu envie qu'on m'touche dans ma vie,

Évelyne, j'aurais eu envie d'toucher quèqu'un pis
d'avoir des p'tits bebés toutes ronds qui auraient
senti bon, qu'j'aurais barcés pis serrés dans mes
bras; les miens, Évelyne, pas jusse ceux des voisins
pis d'nos cousines... J'aurais aimé ça avoir un
homme pour moi... un homme qui m'fasse
oublier qu'y a des afféres qui s'font pas, qui
m'fasse rire, là, qui m'embrasse dans l'cou pis que
j'farme les yeux, qu'ça soye facile, pas gênant là,
comme din vues... asteure, je l'sais ben qu'on est
trop vieilles pis qu'c'est feni pour nous aut' ces
histoires-là, y nous reste pus rien qu'à r'garder les
histories d'amour à tévé pis à brailler d'sus... Mais,
Évelyne, j'vas toujours ben l'dire une fois dans ma
vie: ça fait plusse que soixante ans qu'on attend
quèqu'un toué deux assis sus a galerie, ça fait
plusse que soixante ans qu'on attend qu'un
homme nous trouve belles, pis qu'y nous sorte
d'icitte. Ben, on s'est trompées, Évelyne! La vrée
histoire, c'est qu'on s'meurt de peur, qu'on a
toujours mieux aimé penser qu'les hommes
étaient des monstres plutôt qu'd'avoir à leu parler
pour de vrai, on s'est toujours attaché les deux
mains pis farmé l'bec de peur d'avoir à les
approcher, on les r'gardait même pas, din fois qu'y
saut'raient sus nous aut'... En tu cas, moi, c'est
c'que j'pensais; pis c'est ben pour dire, han, mais
j'vas mourir en espérant encôr qu'y en aye un,
rien qu'un, qui vienne me prendre dans ses bras
pis qui m'dise: «Mon dieu qu'ça vous a manqué,
Mademoiselle»... Faut-y pas savoir c'qu'on veut!

ÉVELYNE

Ben... d'abord... Roméo Blanchette, y t'aimait, lui,
pourquoi c'que tu l'as pas marié?

ÉVA

Parce qu'y a jamais été capable de me r'garder
sans s'mett' à trembler, parce que quand pâpâ y
parlait, y v'nait vert, pis qu'la seule fois oùsqu'y
m'a embrassée, c'tait sus a joue pis qu'y s'est
excusé après. Ça fa que j'me sus dit que Roméo
ou ben rien, c'tait pareil, fa que j'ai choisi rien. Pis
dis-toi ben, Évelyne, que c'est pas Roméo
Blanchette que je r'grette aujourd'hui. Non, c'est
pas Roméo...

ÉVELYNE

(Après un silence.) J'pense que j'comprends c'que
tu veux dire, Éva, pis... vu qu't'en parles, là... moi
aussi, des fois, j'pense à ça, Éva. Des fois j'me dis
qu'y aurait eu d'aut' chose à faire dans vie que
d'soigner pâpâ pis de t'nir maison... oh! pas qu'je
r'grette, mais c'est comme si on s'ramassait avec
ben plusse de confiture que c'qu'on a eu d'pots...
Ben sûr, Éva, que j'y ai pensé moi aussi à ça, pis
ben plusse que tu penses... c'est drôle de parler
d'ça asteure... une fois, t'sais... une fois, j'ai rencontré quèqu'un... ben... pas vraiment rencontré,
mais en tu cas, j'y ai pensé ben longtemps.
Quand j'me mets à penser comme toi, avec qui
j's'rais, là, si j'vivais avec quèqu'un, ben... c'est lui
que j'vois... *(Silence.)* Tu vas ben rire de moi, Éva,
mais c'tait... euh... c'tait un vendeur Fuller, ça fait
longtemps par exemple. D'habitude, c'tait monsieur Beaulieu, là, mais j'sais pas pourquoi c'te
jour-là, c'tait un nouveau. C'tait l'été qu'maman
était à l'hôpital, j'm'en souviens, j'tais tu-seule à
maison; y faisait chaud c't'effrayant, j'avais tellement chaud qu'j'avais pas feni mon ordinaire;
j'm'en souviens parce que, quand y est rentré, la
vaisselle était pas toute serrée, pis ça m'a gênée.

J'prenais un p'tit thé glacé quand y a cogné à porte. Ah! je l'sais qu'maman nous avait toujours dit de s'méfier des peddlers, pis d'pas ouvrir quand on était tu-seule à maison... mais y était tellement d'bonne humeur qu'ça avait l'air naturel de l'laisser rentrer chez nous. Y était drôle, y faisait des farces, y m'parlait comme si y m'connaissait. Y m'a toute montré c'qu'y avait dans sa valise, mais pour mal faire, on avait besoin de rien, j'pouvais pas tellement acheter. Y avait presque feni d'toute me montrer, quand y s'est mis à me r'garder pis à dire des afféres folles, comme que ça s'rait plutôt du parfum pis des bijoux qu'ça m'prendrait, que j'tais ben jeune pour être déjà mariée pis t'nir maison, qu'mon mari était un moyen chanceux, qu'y aurait été heureux de m'rencontrer avant que j'me marie: tu comprends, y était sûr que j'tais mariée! Pis là, ben, j'ai essayé d'y dire que c'tait pas ça, pis à mesure que j'parlais, j'me trompais, j'm'enfargeais... j'veux dire que j'savais pas comment y expliquer sans avoir l'air d'y montrer qu'y m'intéressait. En tu cas, finalement, j'pense qu'y a toute compris. Y a commencé à ramasser ses affaires, pis y a farmé sa valise, pis y s'est l'vé pour partir. J'le r'vois encôr avec sa belle habit grise, pis ses taches de rousseur sus é joues... y m'a r'gardée din z'yeux, jusqu'à arriver sus moi, proche, proche, pis m'embrasser comme parsonne m'avait jamais embrassée. C'est drôle, han, mais pas une minute j'ai eu l'impression qu'y m'manquait d'respect: pourtant, ça a duré longtemps... j'me souviens qu'y avait mis ses mains sus moi... en premier sus mes seins, pis sus mon ventre, pis doucement, doucement, y a touché mes cuisses, c'tait la première fois d'ma vie que j'avais l'impression d'avoir des cuisses...

pis j'avais même pas honte, c'est-tu drôle, han...
j'en parle pis on dirait qu'c'est quèqu'un d'aut',
on dirait que j'parle d'une aut' fille... Ça fait tellement longtemps asteure, Éva, pis j'l'ai attendu
tellement, l'gars d'chez Fuller... mais c'est jamais
lui qui est r'passé après ça. Y ont dû l'changer
d'ronne... din fois c't'une question d'chance.
Mais de toute façon, c'pas dit qu'y m'aurait
aimée, han, pis être mariée avec un peddler, ça
doit pas être drôle, c'est toujours parti !... Pis
finalement, les peddlers, y sont presque obligés
d'rester garçons, sans ça, c'pas une vie, toujours
partis d'même... J'ai pensé que p'tête qu'y s'est
faite changer d'ronne parce qu'y voulait pas que
j'souffre, han, Éva, p'tête qu'y voulait rester
garçon parce que c't'un métier qui d'mande ça...
pis qu'y voulait pas s'tenter en revenant dans not'
coin... Charche, c'est p'tête pour ça qu'y est
jamais r'venu...

ÉVA

(*Après un temps.*) Oui, p'tête... C'est sûr que
c't'un afféré de même... (*Silence.*) Ouais ben,
t'avais raison, la fraîche est tombée. Viens-t'en,
Évelyne, on va rentrer avant d'attraper not' mort
sus c'te galerie-là.

ÉVELYNE

Ouais, on va aller s'faire un p'tit Postum, Éva, ça
va nous réchauffer...

> *Elles entrent doucement. La porte
> claque. L'éclairage se fait, jaune, à
> l'intérieur.*
>
> *L'éclairage baisse.*

FIN

Marie Laberge

L'Homme gris

Dossier

Les possibles ravages de l'amour

par Marie Laberge

J'ai écrit *L'Homme gris* sous le coup d'une sorte d'obsession visuelle : sans savoir où allait cet homme et ce qu'il voulait réellement, je le voyais constamment entrer dans le motel, pressé par la pluie et par sa mauvaise humeur, tenant ses deux boîtes de poulet à bout de bras et se retournant vers la porte ouverte sur l'orage et sur sa fille pour appeler celle-ci sans dire la totalité de son nom.

Je savais d'où il venait, je savais bien sûr qu'il était allé chercher cette jeune femme si dérangeante pour la « sauver » et que cette nuit terrible serait l'aboutissement de son entreprise souterraine : achever la destruction morale de sa fille, achever cette mise à mort par la parole, et cela, en toute inconscience et avec bonne foi.

L'inconscience m'a toujours profondément dérangée, comme s'il s'agissait d'un couteau implacable qui perpètre des meurtres sans jamais que sa lame soit souillée. Pas de sang, pas d'odeur : ah, si Lady Macbeth avait su...

Comment une pièce naît, dans quel imbroglio de désirs conscients, de pulsions violentes et profondes, de raisonnements inachevés et d'intuitions fulgurantes prend-elle naissance ? Je ne sais jamais. Écrire *L'Homme gris* m'a demandé des années de préparation... sans savoir que c'était cette pièce qui se construisait. D'abord, j'ai longtemps cherché à comprendre pourquoi une femme était battue par son conjoint et ensuite pourquoi une femme violentée demeurait avec un tel conjoint. D'où provenait cette réaction d'immobilisme face à une telle violence? Les causes sont multiples, profondes et complexes. Mais, toujours, elles prennent leur source dans l'estime de soi de la femme ou, plutôt, dans son manque d'estime. Et puis, peu à peu, j'ai saisi un autre ordre de causes que je pourrais qualifier de possibles ravages de l'amour. Pas seulement ceux de l'amour qui n'est pas entendu, mais ceux qu'engendrent le refus, le rejet non seulement du sentiment mais aussi de la personne qui porte cet amour. Christine aime son père. Or, elle incarne pour lui tout sauf la réussite: elle est un poids, un devoir, un sacrifice, une erreur de départ, une erreur tout court.

L'Homme gris n'est pas l'histoire de Roland Fréchette, ce n'est pas un *one man show*. C'est l'histoire d'une enfance (de deux enfances, en fait) terrible parce qu'elle a une apparence parfaite et qu'elle est parfaitement détruite par cette perfection même. Toutes les normes extérieures de l'éducation d'un enfant ont été respectées. Et pourtant...

Le défi théâtral consistait à faire comprendre tout le drame sans que Christine ait à formuler un seul reproche (même muet) ou à expliquer quoi que ce soit. Selon moi, elle n'a pas l'assurance nécessaire pour blâmer qui que ce soit, sauf elle-même. Il fallait donc que le public s'identifie à elle, ne la perde jamais de vue et n'oublie jamais ce qu'elle ressentait. Sa présence, son écoute attentive (et quelquefois blessée) des

paroles de son père devaient, grâce à l'identifi-
cation du public à sa vulnérabilité, mettre en
relief l'inconsciente cruauté de Roland et rendre
celle-ci insupportable pour le public.

Christine n'est pas muette, elle ne parle pas pour
une raison très simple : elle connaît son père et
sait à quel point elle a le don de l'exaspérer et
elle ne veut pas lui déplaire. Elle sait pertinem-
ment que se taire est le meilleur moyen d'obtenir
un peu d'indulgence. Christine a déjà dû tenter
de parler (en bégayant sur les « p » de papa) mais
le silence est désormais sa seule issue. Depuis
longtemps son père ne l'entend plus. Depuis
longtemps, il la conçoit comme un emblème de
sa réussite ou de son échec et non comme une
personne indépendante de lui et ayant des
réactions et des sentiments personnels. C'est en
partie pourquoi tout ce qui sort de sa bouche est
de la nourriture alors que, à l'inverse, son père
ne cesse de boire, de se remplir littéralement. Le
côté insolite et répugnant de la chose accroche
le regard de Roland et cette sorte de parole est,
elle, entendue et respectée par Roland (ou du
moins a-t-elle pour effet de le faire taire). Cette
manifestation physique inquiète Roland et
réussit à l'arrêter. Il ne s'agit pas de manipulation
sournoise de la part de Christine, c'est son issue
de secours. Traquée, poursuivie, horrifiée, elle ne
sait pas crier ou discuter, elle ne sait que rejeter
la nourriture qui provient de ce père, dans un
ultime réflexe de défense qui ne la libère en fait
que de cette insoutenable conversation.

Si Christine avait réussi à détester son père, toute
cette histoire n'aurait jamais été possible. Nous
revoici aux ravages de l'amour. L'amour total,
sans jugement, sans restriction qu'elle a toujours

voué à son père, sans jamais le marchander, est l'instrument même de sa destruction. Il faut entendre Christine parler à son père dans le noir, une fois qu'elle a été rassurée et comblée par la complicité sous-entendue de la confidence de Roland sur le secret de sa mère alcoolique. Ce moment d'amitié, de franc plaisir, d'acceptation de Christine par son père (puisqu'il lui fait l'honneur de lui confier un secret jusqu'alors caché) prend une telle importance pour elle qu'elle se permet de lui demander ce que son père à lui a fait (ne pouvant même pas imaginer qu'un père n'ait pas une influence capitale sur son enfant). Évidemment, pour Roland, cet aveu lui est venu à cause du peu d'estime qu'il a pour sa fille et, partant, du peu de danger qu'il voit à risquer d'être jugé par quelqu'un qui ne re-présente rien à ses yeux.

L'amour de Christine, son besoin vital (le mot est atrocement juste) de la reconnaissance d'elle-même par l'amour de son père, comme s'il s'agissait d'une caution essentielle à sa propre valeur, place Christine dans une position suici-daire. Si elle pouvait arriver à se détacher de cet homme, à renoncer à la quête de son amour ou même de son appréciation ou de son regard, elle serait sauvée parce qu'elle pourrait s'en éloigner, l'envoyer promener. Mais voilà : pour l'envoyer promener, il faudrait en avoir la force, il faudrait un minimum d'assurance. Comme l'essentiel a toujours manqué à Christine, sa personnalité s'en trouve non seulement appauvrie mais elle s'appuie sur un ego à peine ébauché. Elle est perçue par son père comme une imperfection, un manque, une vacuité en quelque sorte. Elle a si bien intégré le message que si jamais la colère surgissait, celle-ci aurait été dirigée contre elle-même plutôt que contre son père.

Vu sous cet angle, la crise qu'a provoquée le désir de Roland est peut-être plus simple à comprendre. Est-il besoin d'abord de préciser que Roland Fréchette est un père incestueux, totalement, même s'il ne touche pas physiquement sa fille? Le regard de voyeur qu'il a posé sur elle est un regard sans innocence. Encore déchirée, écartelée entre son désir d'être vue par son père (désir fou d'être reconnue) et son refus violent de cette prestation sexuelle (qu'elle décode très nettement, contrairement à ce que croit son père) comment Christine peut-elle s'échapper? Comment choisir entre deux morts? Comment crier sans faire fuir? Comment changer les yeux de son père posés sur elle, les supplier de ne pas la consommer comme un vulgaire objet sexuel mais, plutôt, de l'aider en la voyant, elle, en l'aimant?

L'anorexie de Christine ressemble à un appel urgent, un désir de maîtriser quelque chose dans sa vie où tout lui échappe. Si elle ne peut maîtriser le regard de son père, du moins dominera-t-elle l'objet convoité, désiré, outrageusement utilisé par ce regard. Et c'est dans l'espoir fou d'être comprise pour ce qu'elle est, c'est-à-dire un vibrant appel au secours, un vide atroce qui hurle à l'aide, qu'elle s'affame. Elle utilise toutes ses faibles forces pour protéger son intégrité, c'est-à-dire persister à être extérieurement l'abîme qu'elle ressent intérieurement. L'anorexie de Christine finit par désexualiser son corps et par provoquer le changement de regard qu'elle espérait chez son père. Mais le regard s'est détourné au lieu de la voir.

L'aveu que fait Roland de son désir ancien, de sa manière de consommer sa fille, de la baiser, cet aveu «innocent» à peine voilé, à peine recouvert du faux voile de l'amour paternel, si le père en est dupe, il est bien le seul et le dernier à l'être. Il faut que ses chimères soient bien puissantes pour réussir à le garder dans l'aveuglement quant à ses mobiles profonds.

L'attaque finale de Christine prend sa source dans l'intolérable de cet aveu. Elle ne peut pas accepter d'entendre ce qu'elle a fui au prix de sa vie, elle ne peut pas accepter de l'apprendre. Et ce n'est pas parce que sa vie a tant d'importance à ses yeux. C'est surtout que le lambeau de dignité qui lui reste ne peut survivre qu'au prix du silence sur le désir incestueux. Elle aurait préféré mourir plutôt que d'admettre l'inadmissible : il y a désir sexuel du père et elle n'est jamais parvenue à exister autrement à ses yeux. Et même si son anorexie tend à prouver qu'elle a inconsciemment saisi la nature du désir, l'attaque finale prouve que son esprit, lui, même en se débattant contre la réalité, ne l'a jamais ni admis ni accepté. Christine refuse sauvagement de concevoir l'inceste, de l'admettre. Et ce n'est pas pour rien qu'elle attaque d'abord les yeux, qu'elle cherche avant tout à détruire le regard qui l'assassine.

L'anorexie de Christine est son moyen de crier en silence, de retenir le regard obscène en espérant le modifier. Mais Roland n'entend pas. Ébloui par sa propre déception, ébloui par l'alcool qui lui permet de relâcher la haute surveillance qu'il exerce sur lui-même, il se déchaîne et évoque les seules personnes importantes de sa vie : sa mère, le fantôme de son fils et sa fille. Il persiste à dominer cette dernière. Cet homme terrorisé par les femmes ne peut rien concevoir d'autre que des rapports de force, des rapports d'autorité où il y a un gagnant identifiable. Écraser l'autre est la seule façon qu'il connaisse de se rassurer et de gagner la partie.

Roland est resté à jamais un enfant désespéré, abandonné, qui cherche follement à satisfaire une attente parentale (ici, celle de la société) à travers une normalité qu'il soupçonne être une condition essentielle à l'obtention de l'amour.

Il ne faut pas croire que Christine n'a pas faim ou que Roland ne ressent rien. L'anorexique possède toujours un estomac qui crie et Roland est constamment obsédé par ses émotions et leur négation. Aveuglé quant à ses mobiles profonds, il le demeure face à sa fille et ne lui lègue que sa souffrance.

Toute souffrance niée, tue ou déviée, est susceptible de réapparaître dans nos rapports humains et de détruire nos pauvres efforts pour sauvegarder les émotions dans nos vies. Ignorer la souffrance, même pour la soulager, signifie souvent la perpétuer.

Une fois la douleur mise au jour, elle ne fait probablement pas moins mal, mais le couteau a enfin perdu de son tranchant et l'arme devient moins dangereuse. Pleurer n'est pas un réconfort en soi, mais peut-être est-ce ce que nous avons de plus humain.

Juin 1995

MISE EN PAGES ET TYPOGRAPHIE :
LES ÉDITIONS DU BORÉAL

CE TROISIÈME TIRAGE A ÉTÉ ACHEVÉ D'IMPRIMER EN JANVIER 2007
SUR LES PRESSES DE MARQUIS IMPRIMEUR
À CAP-SAINT-IGNACE (QUÉBEC).